# Egon Schiele

## Su vida en textos e imágenes

por Roman Neugebauer

Vitalis

© Vitalis, 2018 • Edición original en alemán • Traducido del alemán por Xavier Frías Conde • Impreso en la Unión Europea • ISBN 978-3-89919-556-9 • Reservados todos los derechos • www.vitalis-verlag.com

Imagen de cubierta: *Autorretrato con camisa a rayas*, 1910. Contracubierta: *Egon Schiele en su estudio*, hacia 1914.

Ilust. 1 (Portada): *Autorretrato con camisa a cuadros*, 1917. Este retrato llegó a alcanzar un valor superior a 10 millones de dólares en 2007.

Ilust. 2: *Autorretrato con el párpado bajado*, 1910.

# Contenidos

A finales de abril de 1909 tiene lugar en Viena la inauguración de la Muestra Internacional de Arte. Se trata del mayor acontecimiento en materia artística del año. A pesar del tiempo frío y húmedo –desde el sur y el este del Imperio llegan noticias de nieve y granizo– hay una gran afluencia al recinto ferial. Cincuenta y cuatro pabellones de madera pintados de blanco brillante con patios, terrazas y jardines forman un conjunto de galerías modernas y espaciosas. Ya aquel espacio había sido durante el año anterior el escenario de una exposición de arte. 176 artistas habían expuesto más de mil objetos en una "muestra con el fin de dar a conocer el nuevo arte austriaco". Aquí se comparan los artistas de la monarquía con los del ámbito internacional. Las obras de Paul Gauguin (1848–1903), Vincent van Gogh (1853–1890), Henri Matisse (1869–1954) y Edvard Munch (1863–1944) cubren sus brillantes paredes.

Acuden los vieneses a gozar del espectáculo y lo cierto es que no quedan defraudados. El *Wiener Abendpost* garantiza a sus lectores mucha "ridícula y triste insolencia, llamativas clexografías según las últimas tendencias parisinas, geniales por su más que evidente nulidad – pero también auténtico y serio Arte Nuevo. La atracción principal es Gustav Klimt (1862–1918). En el pabellón 22 el gran maestro del Modernismo vienés expone, entre otros, sus cuadros *Esperanza II* (1907–08) y *Judith II* (1909). Durante el recorrido, el público reacciona fascinado ante la belleza y burlón ante la extravagancia, se encoge de hombros ante tanta banalidad y arruga la nariz cuando presagia escándalo.

En el pabellón 19, un joven estudiante de la Academia de Viena ha hecho su primera aparición ante el gran público. Aquel joven de 19 años expone cuatro cuadros, por desgracia colgados junto a aguafuertes y xilografías de otros artistas. Tres de sus pinturas son retratos y, entre estos, destaca en particular la obra de *Muchacha joven* (1909, ver ilust. 7): Sobre un fondo beis mortecino, destaca vigorosamente el retrato de una

Ilust. 3: Egon Schiele en su taller, 1914. El caballo de madera también aparece en un cuadro (ilust. 108) y en un diseño de cartel.

Ilust. 4, 5 y 6: Un entorno espectacular para un debut modesto: arquitectura de la Secesión en la oficina de Otto Wagner en los terrenos de la exposición de arte.

elegante dama con el sombrero puesto. Su hermoso y curvo contorno está visiblemente influenciado por Gustav Klimt, su ropa se corresponde con los sofisticados diseños de la moda de estilo Secesión. La postura tensa de la mano, sin embargo, y la cruda enajenación del motivo desde cualquier entorno ya hablan de un nuevo lenguaje enérgico y diverso. Alguien puede ver que en el cuadro se manifiesta un talento extraordinario. El joven artista se llama Egon Schiele.

No se sabe a ciencia cierta a quién le debe agradecer Egon Schiele la posibilidad de exponer sus cuadros en la Muestra Internacional de Arte. Está claro que la muestra supone para un artista desconocido como él una oportunidad extraordinaria para alcanzar un éxito temprano. Como tantas otras veces en la historia del arte, el público le da la espalda injustamente, pues se pierde la oportunidad, tan solo se le conceden a Schiele "unos minutos contemplación benévola", para luego pasar de largo. De "talentoso" lo califica el especialista en arte del *Wiener Abendpost*, "talentoso" e "imitando a Klimt... parcialmente". En la mayor parte de las noticias de prensa su nombre no parece. Enseguida cae el telón y Egon Schiele desaparece de escena después de que las candilejas apenas lo hayan rozado.

En marzo de 1918, después de un duro invierno, se hace sentir el frescor de la primavera por las calles de Viena. El cambio flota en el aire. Después de tres años y medio de guerra en Europa, las cosas ya no son favorables a la doble monarquía austrohúngara. El viejo emperador, que rigió los destinos del Imperio de los Habsburgo durante casi setenta años, está muerto. Desde hace dos años, el joven Carlos I está a la cabeza de un Estado que se tambalea. En febrero, el gran Gustav Klimt es solemnemente acompañado a la tumba, el retratista por antonomasia de la belleza femenina vienesa antes de la guerra.

Aunque Klimt está muerto, el arte de Viena sigue vivo pese a todo. Bajo la cúpula dorada de su templo del arte en la Karlsplatz, la Secesión celebra por entonces su 49ª Exposición. Aquí, apenas a un cuarto de hora de distancia del sitio de la antigua muestra de arte, Egon Schiele experimenta el mayor triunfo de su carrera. "Nunca hubo exposiciones, ya fueran de un arte convencional, o bien más actual, tan visitadas como aquellas. El día de la inauguración ya no se podía ir a visitarlas a partir de las 12h del mediodía ", escribe en sus cuadernos el dinámico artista mostrando su disconformidad.

Se reservan sus cuadros para la sala principal del edificio, mientras los demás expositores se encuentran en salas más pequeñas agrupadas alrededor. Schiele participa con 19 pinturas y 29 dibujos: "melancólicos paisajes urbanos alemanes, de todas partes y de ninguna, hombres enfermos de tristeza, mujeres exhaustas, niños soñolientos que nunca se ríen", pero también "la mayor depravación y la vileza extrema". Las obras son una

Ilust. 7: *Retrato de mujer con sombrero negro*, 1909. Presentada en la exposición de arte bajo el título *Chica joven*, se muestra el retrato de Gerti, la hermana de Schiele.

Ilust. 8: El "sumo sacerdote" de la pintura y punto de referencia de Schiele durante mucho tiempo: Gustav Klimt, 1913.

Ilust. 9: Retrato del pintor Anton Peschka, 1909. El retrato del futuro marido de Gerti Schiele es uno de los cuatro cuadros en la muestra de arte.

selección de su trabajo de los últimos cinco años, un tiempo de graves privaciones. Al final de la exposición, Schiele ha vendido cinco cuadros y 19 imágenes, con lo que consigue ganar 16.000 coronas, toda una fortuna, a pesar de la inflación de la guerra.

Más importante que el éxito financiero es el reconocimiento que Egon Schiele acabará alcanzando. En el cartel de la exposición aparece representado en una mesa redonda con artistas vieneses. Pero aún hay quien no lo reconoce en el cartel, en el que se muestra el cuadro *Los amigos* (1918) un óleo a la vez espontáneo y cuidado casi a partes iguales, y sin embargo lleno de detalles, donde el propio Schiele se ha colocado: en la cabecera de la mesa. Ante él, hay una silla vacía, es el lugar que ocupaba Klimt. Antes de la exposición pone de manifiesto una muy desarrollada confianza en sí mismo, que le será generalmente reconocido posteriormente: "el talento más destacable y probablemente con mayor valor de liderazgo hacia nuevas direcciones... es hoy, desde los tiempos de Gustav Klimt, el de Egon Schiele", escribe el mismo *Wiener Abendpost* que otrora se refirió a él como uno de esos talentosos imitadores. Para entonces, el redactor dejará de referirse a él como "artista" y pasará a nombrarlo como el "maestro" Schiele.

Con 28 años Schiele alcanza la cima de su carrera. Aún le quedan siete meses de vida. El 28 de octubre de 1918 muere su esposa Edith de gripe española. El 31 de octubre de 1918 la sigue Egon Schiele, al que probablemente ella ha infectado.

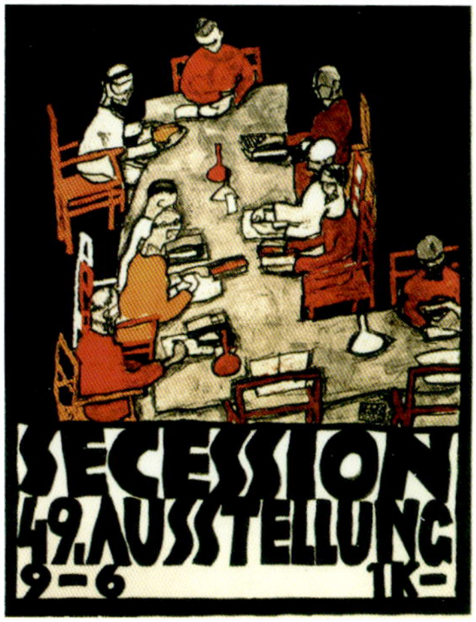


Entre la Exposición Internacional de Arte y la 49ª Exposición de la Secesión transcurren casi nueve años exactos. Estos nueve años bastan a Egon Schiele para producir una de las obras completas destacadas de la modernidad austriaca y, junto con Gustav Klimt y Oskar Kokoschka (1886–1980) convertirse en uno de sus representantes más conocidos. Egon Schiele es hoy considerado un *enfant terrible* y piedra angular del arte austriaco, un "genio" que da pie a novelas, películas y un gran número de estudios científicos. Sus pinturas, gouaches, dibujos y grabados atraen hoy en día a los amantes del arte de todo el mundo a Viena y se mueven por exposiciones alrededor de todo el mundo. Año tras año vuelven a ser examinados, comentados y reorganizados. Sus reproducciones adornan libros, calendarios, carteles, postales, en realidad, cualquier objeto que sea capaz de contener colores.

Uno de los motivos del atractivo perdurable del trabajo de Schiele podría ser que ciertamente se deja contemplar, pero apenas se deja comprender. La etiqueta "Expresionismo" que le ha asignado la historia del arte le pega poco y apenas arroja luz. El arte de Schiele es desconcertante, pues a menudo resulta increíblemente hermoso, pero también se muestra perturbadoramente feo y no siempre se puede negar la sensación de pornográfico que produce. Sin embargo, sus obras eróticas gozan sin lugar a dudas de la más alta calidad artística.

También en lo personal Egon Schiele despierta una fascinación duradera. Al igual que ocurriera con Heinrich von Kleist, Georg Trakl, Wolfgang Amadeus Mozart o Franz Schubert, su muerte temprana, "en la flor de la vida", hace emerger la gracia especial de su talento

Ilust. 10: Una de las obras expuestas en la Exposición de la Secesión en 1918, *Retrato de la esposa del artista sentada*, 1918. El color original de la falda de Edith Schiele lo modificó Schiele a petición del comprador.

Ilust. 11: El paisaje presentado en la Exposición de la Secesión, *Cuatro árboles*, es de 1917, según un boceto del año anterior.

Ilust. 12: Cartel de Schiele de la 49ª Exposición de la Secesión. El espectáculo inaugurado en marzo 1918 supone su consagración.

agudo y brillante, un talento que apenas tuvo tiempo de desarrollarse y que, sin embargo, se eleva por encima de todos los tiempos y las modas. Aunque todo ello se limita al estrecho margen de un par de años, no se puede dejar pasar por alto el desarrollo personal y artístico de Schiele. La vida de este hombre excepcional está repleta de altibajos y fracturas, "escándalos" –en torno a su vida sexual– que la salpican. Muchas preguntas importantes siguen sin tener respuesta porque, a pesar de las décadas de trabajo de investigación acerca de Schiele, todavía gran parte de lo que creemos saber sobre el artista se basa en testimonios poco fiables y a menudo contradictorios.

Precisamente, los muchos misterios sin resolver, los puntos blancos y negros de su biografía hacen nacer una y otra vez nuevas reflexiones acerca del artista Egon Schiele. Al final, cada uno se siente invitado a buscar su propio Schiele. La certeza solo se encontrará en un punto: el valor del artista.

## El neoartista

El relato de los muchos acontecimientos asombrosos que llenan de valor la narración de la vida de Egon Schiele requieren una aclaración previa y en frío: más que ninguna otra cosa fue Schiele, el "artista del escándalo", un duro pintor independiente y concienzudo en cuya vida lo cierto es que quedaba muy poco tiempo para todo, salvo su trabajo. Incluyendo dibujos y bocetos se le conocen solo durante los nueve años transcurridos entre la Muestra Internacional de Arte y el éxito de la 49ª Exposición de la Secesión alrededor de 2.500 obras. No todos han sobrevivido. Algunos solo los conocemos por su mención en catálogos o cartas, muchos trabajos de una hoja completa, pero que puede haber sido vendidos o regalados sin haber dejado rastro. El número de obras creadas realmente excede al de la obra conocida significativamente. Es, pues, una ardua tarea.

Ilust. 13: *Autorretrato desnudo en cuclillas*, 1916.

Ilust. 14: *Desnudo femenino tumbado con las piernas abiertas*, 1914.

Ilust. 15: *Desnudo femenino de pie con pañuelo azul,* 1914.

Ello es así porque Schiele adquiere enseguida una seguridad artesanal, que hace innecesaria cualquier corrección tediosa. También es posible porque enseguida alcanza una serenidad artística que lo lleva varias veces a alcanzar el máximo rendimiento. Egon Schiele sabe de emergencias y trabas externas, pero no sabe de crisis creativas o dudas sobre uno mismo que sí han sufrido un buen número de artistas durante los años de actividad sobre el lienzo. Tampoco sabe mucho de apatía. A pesar de su juventud, llega al otoño de 1910 como un artista consumado, laborioso y notablemente seguro de sí mismo, que ocupa un lugar privilegiado en el escenario del arte de Viena. Como suele suceder, este es

Ilust. 16: *Estanque con árboles que se reflejan*, 1907.

uno de los muchos sucesos sorprendentes en la vida de Egon Schiele, que contaremos a continuación.

A los 16 años, Schiele decide "que quiere ser pintor y nada más." Esta decisión estuvo precedida de sombras que se extienden por su primera infancia de niño que no deja de dibujar. En la escuela secundaria, estas sombras comienzan ya a amenazar su rendimiento escolar. Cuando en 1906, por enésima vez vuelve la perspectiva de traslado de centro, Schiele y el liceo se separan amistosamente.

Con un título de graduado regalado bajo el brazo, accede a la Academia de Bellas Artes de Viena en octubre de 1906. Esta prestigiosa institución, ubicada en un palacio neorrenacentista de la Schillerplatz, es la más antigua escuela de artes de la monarquía. Egon Schiele es su alumno más joven en aquel momento. Acude aquí a la Escuela de Pintura General, donde se enseñan los fundamentos técnicos del oficio de pintor al más alto nivel. Son los mismos que ya han aprendido generaciones antes de Schiele y que luego seguirán aprendiendo generaciones después de él: "1. Dibujo y pintura de la antigüedad; 2. Dibujo y pintura de la forma humana; 3. Dibujo del desnudo de noche; 4. Estudio de la vestimenta y 5. Teoría de la composición". También hay en el curso 1906–07 Anatomía, Estilo de enseñanza y Perspectiva; en 1907–08 Química del Color y Teoría del Color. Durante dos años este superdotado absorbe contenidos del plan de estudios, sin quejarse, pero sin mucho esfuerzo ni calificaciones destacadas. Una foto de este período, tomada en la sala de dibujo de desnudos, muestra a un Schiele delgado entre sus compañeros de estudios. Entre aquellos hombres de aspecto serio y mayor edad aparece él vestido como el chico de los recados (ilust. 22).

Pero, al cabo de dos años, la situación es diferente. En diciembre de 1908, Egon Schiele se convierte en un estudiante ordinario de la Academia. Hasta entonces, debido a su edad, había sido considerado tan solo un estudiante invitado. En abril de 1909, se acaba de inaugurar la Muestra de Arte Internacional y ahí lo

SCHIELE
MAI 07

Ilust. 17: *Autorretrato a la derecha*, 1907.

Ilust. 18: Todo cuanto necesita un pintor: el Schiele estudiante de la academia de 16 años con paleta y atrevido peinado de artista.

Ilust. 19: *Muchacha en el balcón*, 1907. Un experimento de Schiele de pintar en lienzo con una primera capa dorada.

Ilust. 20: Bajo la influencia del modernismo, dibujo con yeso *Desnudo femenino tumbado*, 1908.

encontramos a la cabeza de un grupo de compañeros de estudios que se presentan animosamente como neoartistas: con una postura rígida, pero con el pecho henchido de orgullo, se oponen a la vida académica y su concepción del arte. Como Egon Schiele, la mayoría de los estudiantes pertenecen a la clase especial de Profesor Christian Griepenkerl (1839–1912), uno de los profesores más antiguos de la institución. Este meritorio pintor, cuya especialidad es la alegoría antigua, todavía cuenta mucho para la generación de artistas de la Ringstraße. Para los jóvenes rebeldes resulta un fósil y una piedra de afilar que les permite agudizar su ingenio.

El conflicto que estalla entre los estudiantes y los profesores es a menudo descrito por los biógrafos de Schiele como una simple pose. Con Griepenkerl implorando: “Tan solo cuenten a cualquiera que han estudiado conmigo”, el grupo le habría planteado cuestiones descaradas al maestro con preguntas como: “¿Es tan solo la naturaleza lo que usted, profesor, reconoce como tal?”, y el estallido final

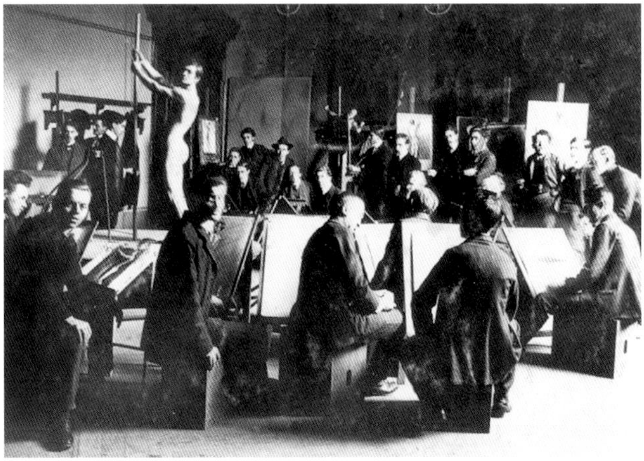

Ilust. 21: Christian Griepenkerl, pintor académico de la vieja escuela y profesor de Schiele.

Ilust. 22: Sala de pintura de la academia, hacia 1907. Schiele está completamente al fondo a la izquierda, junto al perchero.

Ilust. 23, 24, 25 y 26: Enseñanza de dibujos resultantes a partir de estatuas de yeso, 1906.

Ilust. 27: *Desnudo de mujer sentada con camisa en la cabeza*, 1910.

del académico alcanzaría su punto álgido con: "ustedes... ustedes... ustedes... han hecho al diablo cagarse en mi escuela". Con todo, no hay pruebas de ello. Solo uno de los participantes, el pintor Anton Faistauer (1887–1930), se refirió alguna vez por escrito a esa disputa eligiendo para ello palabras conciliadoras. No llegamos a conocer lo sucedido en la sala de dibujo, probablemente no fueron más que chiquilladas: Una vez concluido el curso académico 1908–09 los neoartistas ya no volverán a clase.

El abandono voluntario de la prestigiosa institución en el verano de 1909 supone un paso valiente, tal vez incluso un acto de rebelión. No se deja nada al azar. Schiele sigue haciendo lo mismo en la Academia, hasta que a él, como estudiante de una institución pública, le toca cumplir la Ley de Voluntariado Anual y, de ese

S.10.

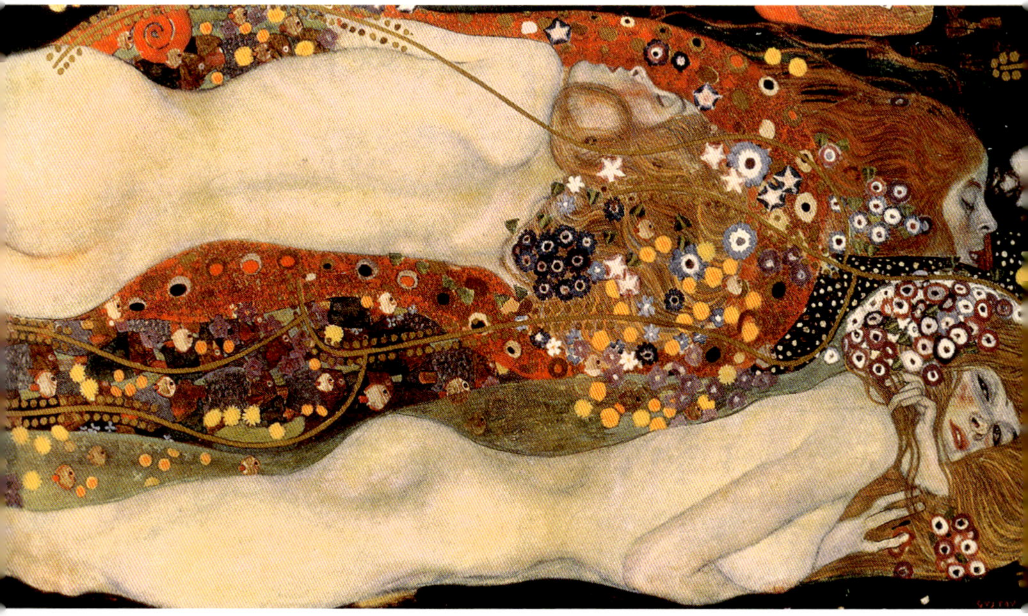

Ilust. 28: Gustav Klimt, *Serpientes acuáticas II*, 1904–1907.

Ilust. 29: *Espíritus del agua I*, 1907.

modo, cumple tres años de servicio militar. Ya desde hacía tiempo, venía recibiendo propuestas formativas tanto en lo artístico como en lo personal fuera de la calma anodina aunque absorbente de aquella escuela, sobre todo por parte de Gustav Klimt y la Secesión, tras cuya fundación, en 1897, Klimt había renegado del mundo del arte establecido.

Ilust. 30: Foto del carné de estudiante de Schiele de la Academia Vienesa de Artes Visuales, de 1908.

El entusiasmo de Schiele por Gustav Klimt comienza a reflejarse a partir de 1907 en obras como el gouache *Espíritus del agua I* (1907), que tiene como modelo sus *Serpientes de agua II* (1904–07), pero también muchos otros. En 1909, Schiele se considera a sí mismo, totalmente en serio, el "Klimt de plata". Tanto como el trabajo, tiene eco en él la personalidad de Klimt. El "Sumo Sacerdote", que en 1897 proclamó la "Primavera Sagrada" del arte austriaco, convierte a Egon Schiele en el modelo de una nueva conciencia de sí mismo de un tipo de arte libre y noble aplicable solo este consagrado artista. Un artista así no se forja en una academia, sino que son la naturaleza y el destino quienes lo hacen llegar a lo más alto.

Algo está fermentando entre los estudiantes de arte y la semilla, una vez brotada, producirá extrañas flores. En la primavera de 1909 Schiele envía a su tío y tutor Leopold Czihaczek una carta escrita a toda prisa sobre las filosofías de la vida que maduran en él: "La independencia es una gran suerte", escribe, "doblemente estimada por las personas de espíritu a las que les gusta valerse por sí mismas. No todos tienen las cualidades necesarias para disfrutar de ella en condiciones. La madre naturaleza vela por la especie humana, al igual que por el reino animal... Pero no hay nada más vergonzoso que ser dependiente... No es que piense eso, es más bien lo que siento, pero no he escrito yo eso, no es culpa mía. Es un deseo incontenible que se vuelve cada

B • Ö • K
MITGLIEDSKARTE DES BUNDES ÖSTERR. KÜNSTLER FÜR DAS JAHR 1913

Ilust. 31: Carné de miembro expedido a Egon Schiele de la Liga de Artistas Austríacos, 1913.

vez mayor y que fundamenta lo que acabo de expresar. Toda la culpa es de la naturaleza. Tu agradecido sobrino, Egon".

En el otoño de 1909, Schiele se ve asaltado por pensamientos apremiantes surgidos bajo la forma de un manifiesto. Lo escribe para el Grupo del Arte Nuevo que realiza su primera exposición en diciembre de ese año en el salón de Gustav Pisko de la Schwarzenbergplatz de Viena. El grupo, al que se atribuye el mérito de haber sido considerado "la chispa inicial del expresionismo austríaco" se desarrolla entre 1912–13 en la Liga de Artistas Austríacos. El manifiesto vuelve a ser publicado por Schiele en 1914, con tan solo ligeros cambios, bajo el título "El arte –el Nuevo Arte". En el texto asume una postura firme que le servirá como punto de apoyo en su vida de artista vacilante. "No hay un arte *moderno*", afirma. "Solo hay un arte, que es perpetuo... Pero hay un *Arte Nuevo*. Incluso el estudio de un solo Arte Nuevo es siempre una obra de arte, ya que es un pedazo de uno mismo que vive. Hay solo un poco, muy poco arte nuevo" Los neoartistas son para Schiele unos "elegidos" que "de hecho nada más crean para sí mismos". Los "compañeros comparten sus experiencias"... Para Schiele, el artista debe ser un visionario entre los ciegos, "el más noble entre los nobles; el más generoso entre los generosos. Ha de ser un hombre, más que cualquier otro, y ha de amar la vida y la muerte. El más alto sentimiento es la religión y el arte. La Naturaleza es el fin último. Pero ahí está Dios. Y el artista debe sentirlo con fuerza, con toda la fuerza."

La conclusión del descubrimiento de uno mismo de Schiele llega en el otoño de 1910. En noviembre, Egon Schiele y Gustav Klimt se conocen por fin en persona. El viejo maestro visita al neoartista, que se ha convertido en su vecino por haberse mudado a un nuevo estudio, cerca del Palacio de Schönbrunn, en la Grünbergerstraße 31, con él que, además, intercambiará

Ilust. 32: Cartel diseñado por Anton Faistauer para la primera exposición del grupo de neoartistas, 1909.

Ilust. 33: *Retrato del pintor Anton Faistauer*, 1909. Faistauer fue cofundador del grupo de neoartistas.

Ilust. 34: Sala de exposiciones en el salón de Gustav Pisko, hacia 1909.

dibujos. Desde ese momento, ambos pintores siguen en contacto, aun a pesar de moverse en ámbitos completamente diferentes. Klimt apoya a Schiele abriéndole puertas para él cerradas. Schiele, agradecido, le dedica a esta relación artista tan especial el mayor cuadro al óleo de toda su vida: *Los ermitaños* (1912, ilust. 40) que los muestra a él y a Klimt como hermanos de espíritu. El mutuo afecto entre los artistas se inicia realmente cuando Schiele supera la dependencia artística de Klimt. Su modelo era un medio, no la finalidad de su desarrollo, y así, en noviembre de 1910, alcanza plena conciencia de sí mismo. Sobre ello escribe: "Transité por Klimt hasta marzo. Hoy creo ya ser otro".

## El arte del autorretrato

Ilust. 35: *La muerte de Gustav Klimt, de perfil derecho*, 1918. Es uno de los cuatro retratos.

Ilust. 36 y 37: Modelo y versión. *Danae* de Klimt, de 1907–08 (arriba) y *Danae* de Schiele, de 1909 (abajo).

Ilust. 38 : *Autorretrato con chaleco de pavo real, de pie*, 1911.

Egon Schiele tiene una concepción expresionista del arte y de los artistas. El término "expresionismo" aún no se había acuñado en 1910 y Schiele probablemente nunca lo llegó a utilizar. En la historia del arte, el concepto se refiere a una reorientación, también recogida en el Manifiesto del Arte Nuevo, que coloca al artista en el centro, de modo que su trabajo se convierte en un medio que permitirá a los demás participar en lo propio, a través de una sensibilidad excepcionalmente aumentada. "El artista es sobre todo un ser superdotado espiritualmente, capaz de expresar las opiniones de los fenómenos concebibles en la naturaleza", escribe Schiele en 1909. Gustav Klimt, al que desde luego no se atribuye falta de conciencia de sí mismo, seguía siendo de la opinión de que él como persona "no era especialmente interesante". Para Egon Schiele, pocas cosas hay que resulten interesantes.

Ello ya se manifiesta en la minuciosidad, algo habitual en Schiele, no solo en cada boceto, sino también en libros, reglas y materiales de

S.11.

trabajo, todos ellos con su firma, a veces más de una vez. También se manifiesta en lo grande, en su arte. Su propio rostro y su cuerpo son algunos de los temas más recurrentes. Schiele realizó diez autorretratos antes de entrar en la Academia, hasta 1918 ya llevaba 170, incluyendo autorretratos dobles y triples. No hay duda de que Egon Schiele era un narcisista que debe haberse pasado muchas horas delante del espejo. Sin embargo, sus autorretratos son más que un juego narcisista, son los registros de un investigador de alma que se entrega en carne y hueso al arte.

Ilust. 39: *Autorretrato con las manos en el pecho*, 1910.

Heinrich Benesch, un viejo amigo de Schiele, realiza en su ensayo *Mein Weg mit Egon Schiele* una descripción gráfica del pintor. Ve en el artista "a un joven delgado, algo más alto de la media y con un porte auténtico y genuino". Schiele tenía un "rostro pálido y delgado, pero no enfermizo, de ojos grandes y oscuros y exuberantes, y cabellos voluminosos, de melena corta, con el borde de color castaño oscuro. Se comportaba como persona tímida, un poco insegura y algo cohibida. No hablaba mucho, pero cuando se hablaba con él, su rostro siempre estaba iluminado por la luz de una sonrisa silenciosa... Lo más característico de su personalidad era la serenidad... Además era enormemente gracioso y con tendencia a gastar bromas..."

Ilust. 40: La liga de los elegidos. Gustav Klimt y Egon Schiele en *Los ermitaños* de Schiele, 1912.

De este joven simpático que vemos en la mayoría de los autorretratos pintados a partir de 1910, reconocemos poco más que el corte de pelo. Schiele se presenta con rasgos faciales desencajados,

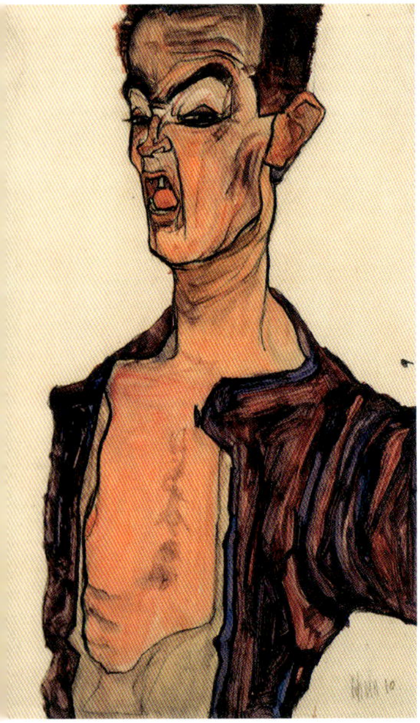

Ilust. 41: *Mueca de hombre mordaz (autorretrato)*, 1910. La dentadura de Schiele está completa.

Ilust. 42 (arriba): *Autorretrato con ombligo al descubierto*, 1911.

Ilust. 43(izq.): *Autorretrato*, 1910.

Ilust. 44 (medio): *Autorretrato como desnudo*, 1910.

Ilust. 45 (dcha.): *Desnudo masculino de rodillas con las manos levantadas*, 1910.

haciendo muecas o mirando estúpidamente al vacío, al que se le congela el cuerpo demacrado, con extremidades alargadas, similares a insectos en contorsiones extrañas, o desplomado como una muñeca inerte. En 1910 se representa desnudo por primera vez. Resulta algo totalmente insólito. El único ejemplo que le podría resultar conocido es de Alberto Durero en la Albertina, *Autorretrato desnudo*, un dibujo de 1506. Al mostrar el propio cuerpo deformado por los instintos y el sufrimiento, Egon Schiele crea algo completamente nuevo. El neoartista se convierte literalmente en una forma de arte: presenta el período convulso anterior a la Primera Guerra Mundial, cuando se reconocen la histeria, la neurastenia y la neurosis como manifestaciones del espíritu de aquella época, al tiempo que la hipnosis y el psicoanálisis se presentan como ciencias, transformando su cuerpo en un lienzo que permite visualizar su estado nervioso y anímico.

Una de las pocas obras en que Schiele muestran tan tímido como Benesch lo describe es un gouache de 1910 (ilust. 50). Es probablemente una de las imágenes más íntimas y, por tanto, más hermosa que Egon Schiele ha hecho de sí mismo. Ni el fondo, ni la ropa están totalmente desarrollados, pero nada consigue distraer la mirada melancólica aunque serena del retratado. El hecho de que, aun teniendo veinte años de edad muestre rasgos claramente infantiles no es algo casual. Schiele se designa constantemente como "niño eterno" para distinguirse positivamente de su entorno, así como para liberarse de sus expectativas y exigencias. Los niños fascinan a Egon Schiele. Procuraba tenerlos cerca, realizó infinidad de retratos de menores, lo cual lo obligó incluso a tener que responder ante un tribunal por una imagen atrevida de una joven. La infancia supone para Schiele un paraíso de felicidad y libertad, al que él siente que pertenece aun como adulto.

Schiele refleja su infancia en autorretratos, cartas y poemas, así como, con más detalle, en el *Esbozo poético de un autorretrato*. Todo comienza en 1910, el año de su autodescubrimiento, y se publica en 1911. "Por mí fluye antigua sangre alemana y, a menudo, siento a los seres ancestrales en mí", se puede leer. "Yo, un bisnieto del escribano Charles Frederick Schiele, primer alcalde de Bernburg en el ducado de Anhalt, nací el 12 de junio de 1890 en Tulln an der Donau, siendo mi padre de Viena y mi madre de Krummau. Las incesantes impresiones pictóricas del tiempo de infancia me llegaron de las tierras llanas con avenidas de primavera y tormentas furiosas. Ese era yo en aquellos primeros días, cuando oía y olía las maravillas de las flores, los jardines sin voz, los pájaros, en cuyos ojos brillantes me veía reflejado en rosa. Tantas veces he medio llorado cuando era otoño. Si era primavera, soñaba en cambio con la música general de la vida, para a continuación emocionarme con el delicioso verano y reírme, mientras me dedicaba a pintar el invierno de blanco en todo su esplendor. Hasta entonces, había vivido feliz, pero enseguida comenzó la anodina escuela y el tiempo de las obligaciones... Me mudé a ciudades casi infinitas y aparentemente muertas, y bien que lo sentí. Durante ese tiempo experimenté la muerte de mi padre. Mis maestros siempre eran rudos conmigo como si fueran mis enemigos. Ellos –como el resto de la gente– no me entendían".

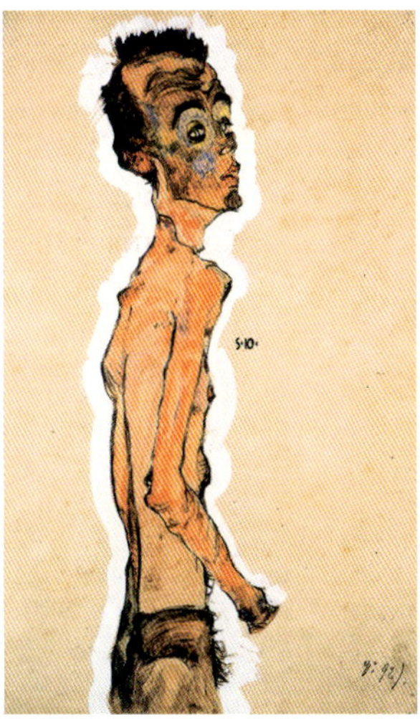

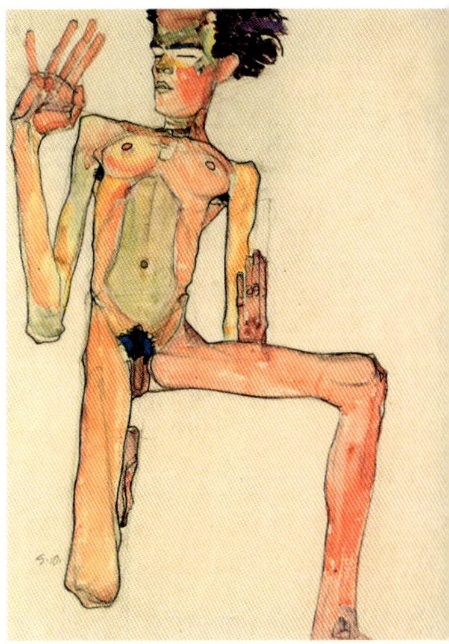

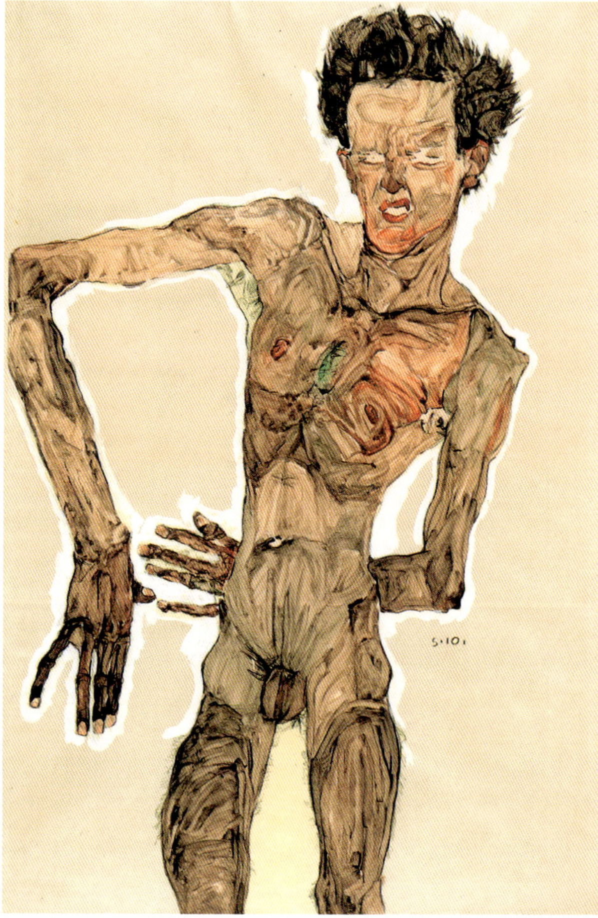

Ilust. 46: *Eros*, 1911.

Ilust. 47: *Profetas (doble autorretrato)*. 1911.

Ilust. 48: *Autorretrato desnudo gesticulando*, 1910. Los ojos fueron deteriorados en 1980.

Egon Schiele representa el final del "período de la infancia", como el destierro del paraíso. Esta expulsión queda sellada, cuando el "tiempo de las obligaciones" y la muerte consiguen abrirse camino. La muerte del padre es precedida por un verdadero pecado original: en 1879 Adolf Schiele se casó con Marie Soukup, por entonces con 17 años de edad, y se fue con ella de luna de miel a Trieste, que por entonces era aún puerto marítimo austriaco. Allí, los recién casados visitaron un burdel y contrajeron la sífilis. Las consecuencias de aquella enfermedad nunca tratada serán terribles:

en 1880, Marie Schiele pare un bebé muerto, en 1881 lo sigue otro. En 1883, nace su hija Elvira, que murió con diez años. Tres niños, no obstante, sobreviven y gozan de buena salud: en 1886 nace Melanie, en 1890 la sigue Egon –en la partida de bautismo nos encontramos con su nombre completo es Egon Leo Adolf– y en 1894 nace Gertrude, llamada Gerti, la luz del mundo.

Ilust. 49: Uno de los cinco desnudos principales en óleo, pintado por Schiele a principios de 1910. *Desnudo masculino sentado (autorrepresentación).*

Los Schiele son una familia de ferroviarios. El abuelo paterno era ingeniero jefe de los Ferrocarriles del Oeste de Bohemia, para el cual trabajaba el abuelo materno

construyendo edificios, mientras que el tío paterno era un inspector jefe jubilado de los Ferrocarriles del Norte del Emperador Fernando. El padre trabaja como alto funcionario de los Ferrocarriles del Estado Imperial en la estación de Tulln an der Donau, a unos treinta kilómetros al oeste de Viena. Ahí creció Egon Schiele en un apartamento en el primer piso del edificio de la estación, en el seno de una familia de clase media. Los trenes resultan ser el primer tema que garabateó aquel muchacho desgarbado en el papel. Cuando llega a tener la suficiente altura como para alcanzar el alféizar de la ventana, para horror de sus padres, consigue alcanzar el empinado tejadillo de la estación para así obtener una mejor visión de las máquinas que bufaban. Los trenes siguen siendo su pasión hasta la edad adulta. Un amigo aún ve en aquel joven de 23 años de edad a "aquel niño eterno" jugar con un tren de juguete, "todo lo relativo a la imitación del sonido de los ruidos que produce un "auténtico" ferrocarril mientras viaja". Cuando más tarde Egon Schiele elige esposa, ella será la hija de un montador de trenes, mientras que su hermana Melanie trabajará en la Westbahnhof de Viena.

Ilust. 50: El "niño eterno". *Autorretrato con camisa a rayas*, 1910.

A los once años, Egon abandona la arcadia de la estación de Tulln e inicia estudios de secundaria en Krems an der Donau. Ya al año siguiente se traslada a Klosterneuburg, donde viven unos parientes. Lo cierto es que él no se siente ni de aquí ni de allí. Será por entonces, cuando el deterioro mental de su padre se vuelve notorio, como consecuencia tardía de la sífilis. Como Egon tan solo lo ve durante las visitas, tiene la

Ilust. 51: *Tren*, antes de 1906.

Ilust. 52: Familia Schiele, hacia 1893.

Ilust. 53: Estación de Tulln, hacia 1900. Aquí, en el primer piso, nació Schiele.

Ilust. 54: Egon Schiele, hacia 1895.

impresión de que se trata de locura progresiva, no es capaz de acostumbrarse a la convivencia cotidiana con la enfermedad, más aún según va empeorando. En 1904 Adolf Schiele se jubila. La familia se traslada a Klosterneuburg, pero la convivencia con el padre es difícil de soportar. Está deprimido, se dedica a jugar a las cartas contra oponentes invisibles y recibe invitados imaginarios en uniforme ante una mesa de banquetes bien provista. En un pronto, quema enteras todas las participaciones en el horno y roba las reservas financieras de la familia. Esto resulta especialmente doloroso porque Adolf, debido a su temprana discapacidad profesional, no recibe una pensión completa. Tal vez la falta de dinero sea la razón por la que no conseguirá entrar en el hospital psiquiátrico de Klosterneuburg. Durante las vacaciones de verano en Krummau [Český Krumlov], en Bohemia del Sur, la tierra natal de su madre, el padre intenta suicidarse el mismo día de su llegada, pero fracasa. No obstante, morirá, probablemente debido a los efectos de la parálisis, la Nochevieja de 1904 en Klosterneuburg.

Ilust. 55: *Vista desde la sala de dibujo, Klosterneuburg,* 1906.

Ilust. 56: *Klosterneuburg entre nieblas,* 1907.

Ilust. 57: *La puerta de Budweis en Krummau,* 1908.

Ilust. 58: Barco en puerto *(Trieste),* 1908.

El sufrimiento y la muerte del padre son acontecimientos decisivos en la vida de Egon Schiele. Viaja varias veces a los lugares que están ligados a su sufrimiento: tres veces a Trieste y al menos siete veces visita el huérfano Krummau. El interés de Schiele por los estados desordenados de la mente reflejado en sus retratos indudablemente no se debe tan solo a las tendencias de la época y, ciertamente, no es casual que surja en él la preocupación por su imagen especular en 1905, casi inmediatamente después de la muerte de su padre. Se da un fuerte contraste entre el antes sano y el después nervioso, lo cual caracterizará los autorretratos del artista Egon Schiele.

SCHIELE
08

Schiele
27.III.07.

Después del colapso del universo de Tulln, la relación de Egon Schiele con su familia se ve bastante afectada, donde tan solo las hermanas son la excepción. Ambas poseen una vena artística y, sobre todo, entre Egon y Gerti cabe imaginarse un trato muy familiar. El cuadro *La joven* (1909, ilust. 7), que Schiele exhibió en la Exposición de Arte Internacional, la refleja a ella. Entre 1909–10 es a su hermana bien formada a quien prefiere el hermano como modelo desnuda, lo cual es algo de lo que la madre no debía enterarse. Schiele se siente incomprendido por el resto de la familia, cuya visión del mundo se limita a los trenes, la burocracia y la urbanidad, por lo que el artista se concentró en diseñar su plan de vida.

En una carta a su madre, Schiele escribe: “No he recibido ayuda de nada ni de nadie, mi existencia depende tan solo de mí... Pero tú no dejas de ser injusta conmigo, porque no consigues entender todo lo que necesito para llegar a ser alguien. ¿Por qué no me ayudas? No puedo sino trabajar sin descanso, como tú, por ahora, ¿por qué no se me concede la libertad que, por supuesto, es el bien más valioso y supone una lucha interminable?”. En cuanto al contenido y al tono, la carta del artista no resulta inusual e irreflexiva, sino más bien típica de él. Sin embargo, lanza reproches a su madre; a ella y a las demás personas que se ha encontrado por el camino, a los que Schiele les debe su existencia. Schiele tiene una visión muy elevada sobre el arte y su propio “talento primoroso”, que él interpreta el apoyo como algo obvio, cuya ausencia es como un sacrilegio

Ilust. 59: *Retrato de mujer (la madre del artista)*, 1907.

Ilust. 60: *Autorretrato, fondo pardo*, 1912.

Ilust. 61: *Bote de pesca de Trieste*, 1912.

Ilust. 62: *Buques y veleros en el puerto de Trieste*, 1912.

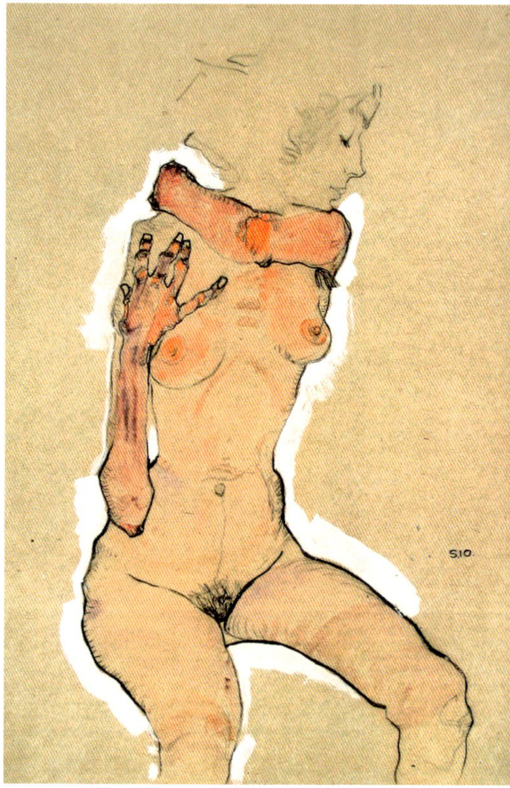


Ilust. 63: Gertrude Schiele, 1908–09.

Ilust. 64: *Desnudo sentado (Gertrude Schiele)*, 1910.

contra lo sagrado del arte. “Inhibir al artista es un delito, es como acabar con una vida en ciernes”, escribió en 1912 debajo de una imagen.

Incluso los “rudos maestros” de las escuelas secundarias de Klosterneuburg dejan de ser “auténticos enemigos” para Schiele como había escrito en su *Esbozo poético de un autorretrato*. Al contrario, lo apoyan más allá de lo que sería su obligación. En la antigua Austria, el dibujo era una asignatura y los docentes están bien formados. El profesor de dibujo de Egon Schiele, Ludwig Karl Strauch (1875–1959), es un veterano de la Guerra de los Bóeres y de la escuela de pintura de Griepenkerl. Tras las clases, deja a Egon trabajar en su estudio privado. Más tarde, el maestro y su alumno hacen algunos viajes juntos en los viñedos alrededor de

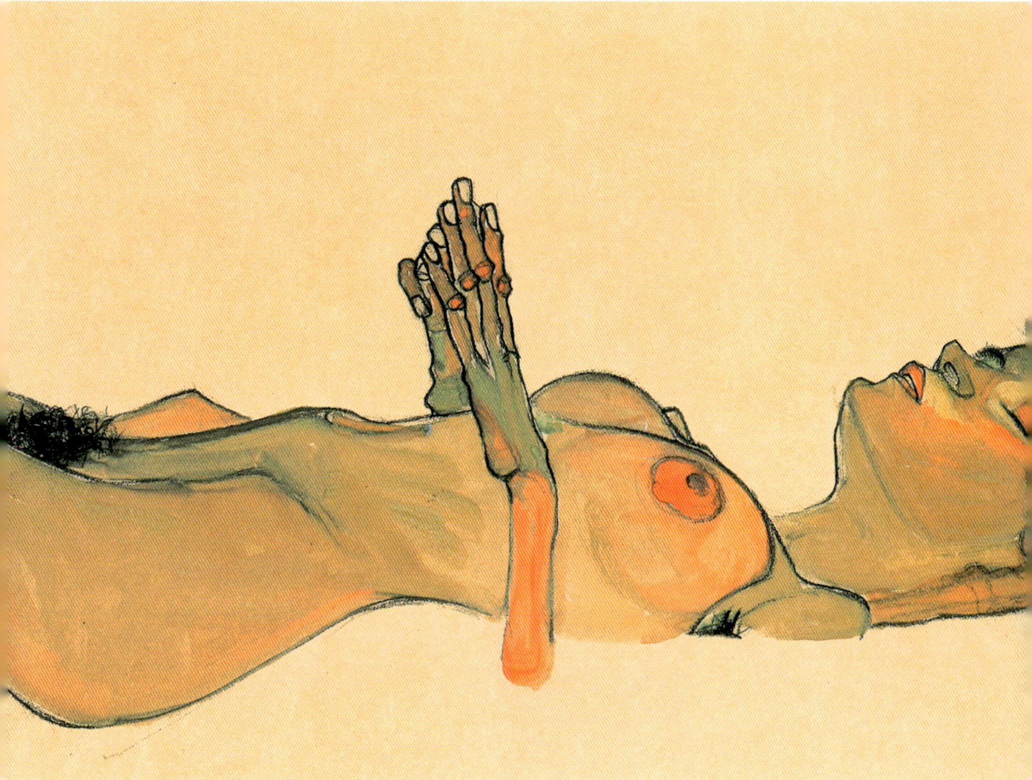

Ilust. 65: *Joven muerta*, 1910.

Klosterneuburg, donde ambos pintan hombro a hombro al aire libre. El profesor de religión de Schiele, el Dr. Wolfgang Pauker, garantiza a los estudiantes de secundaria con escasos de recursos y talento artístico una beca de la catedral, que permitirá al artista, después de la muerte de su padre, acudir a otra escuela. Incluso fuera de los muros de la escuela, Schiele recibe reconocimiento y apoyo en Klosterneuburg, como Max Kahrer (1878–1937), un paisajista, que da al joven superdotado consejos artísticos, se interesa por sus utensilios de dibujo y muestra un grandísimo interés por algunos de sus trabajos.

La madre de Schiele, Marie, es una mujer sencilla que, por los avatares del destino, se ha convertido en la mujer dura que es y que sin duda se siente abrumada

Ilust. 66: *La madre del artista (Marie Schiele)*, 1918.

Ilust. 67: *Retrato de Max Kahrer con las manos caídas*, 1910.

Ilust. 68: El esbozo *Leopold Czihaczek al piano* se remonta a 1907 en el salón del acaudalado pariente de Schiele.

Ilust. 69: *Interior del piso de Leopold y Marie Czihaczek*, 1907.

con su hijo. Él sigue siendo un extraño para ella y, como el respeto no va con ella ni con Schiele, siempre se dan desencuentros. Cuanto más se apoya a su hijo, más consigue. Ella es la que impone su criterio de formación académica artística, en contra de la voluntad decidida de su tío y cotutor asignado, Leopold Czihaczek. Czihaczek, que se ha pasado casi toda su vida en una poltrona ejerciendo de ingeniero, siente cualquier cosa menos satisfacción al ver a su pupilo cabalgar a lomos de la pintura por la vida. Su resistencia cede finalmente ante aquella madre resuelta en una escena pública en los escalones de acceso a la Academia de Arte, donde Egon pretende inscribirse.

SCHIELE
07.

SCHIELE
MAI '07

Aquel hombretón decidido se empeña en bloquear la entrada a la escuela de pintura, pero ante las afiladas palabras de la madre montando una escandalera, tiene que ceder a regañadientes.

Como esa, se pueden contar muchas otras anécdotas lamentables de Leopold Czihaczek respecto a Schiele. Él aparece en ellas como un alto funcionario ignorante propio de los cuentos, un pedante con pocas miras que no comprende el extraordinario don de su sobrino. Es fácil suponer que algunas de estas anécdotas las difundió el propio Egon Schiele. En ellas no se menciona que Czihaczek financió los estudios de Schiele, es decir, sin una sola queja después de las protestas iniciales. Así, le abre su casa, lo lleva a conciertos y de veraneo, y hasta se deja retratar en varias ocasiones. Honestamente, no se puede ver en Czihaczek a un oponente duro de corazón, sino más bien al primer mecenas de Schiele. En 1910 llega a un punto crítico, después de que el artista abandone los estudios y telegrafíe a su tío a casa a las tantas de la madrugada para, sin más, exigirle una elevada suma de dinero, mientras regresa de Bohemia, adonde se había ido sin decir palabra. En junio, Czihaczek le retira su tutela y establece una paga para Schiele que por entonces cuenta veinte años de edad.

Ilust. 70: *Retrato de Leopold Czihaczek, de perfil a la derecha*, 1907.

Ilust. 71: *El pintor Max Oppenheimer, retrato hasta la rodilla*, 1910. Entre 1908–10, Schiele y el conocido expresionista "Mopp" trabajaron codo con codo.

Después de retirarse el tío rico, nos encontramos a Egon Schiele muy escaso de dinero. Este será la tónica y, además, no carece de importancia el hecho de que "el dinero se le va con suma facilidad". Todo lo que recibe le dura bien poco entre las manos. El solitario y mísero Egon Schiele, que se siente atraído por los libros, las películas, los zapatos de tacón "de vértigo" y la ropa holgada de Viena, es sin embargo un peón al pie del Kahlenberg trasplantado al romanticismo del

Montmartre. No era él. Más bien, Schiele está desde muy pronto atareado y, sobre todo, como diríamos hoy, con buenos contactos. Muchos contactos importantes, tales como los Talleres Vieneses [Wiener Werkstätte], los ha conseguido Schiele durante sus cursos académicos y enseguida interactuará con ellos.

Enseguida un círculo de coleccionistas interesados se cierra en torno a él y eso le permite, gracias a la venta de sus dibujos de alta calidad que se venden enseguida, tapar los peores agujeros de su billetera. A la mayoría de sus clientes, promotores y amigos los volvemos a encontrar a partir de 1910 en una serie de retratos, algunos de ellos, óleos. Los intentos de Schiele por ampliar el círculo de personas retratadas por encargo de la sociedad vienesa fracasan. Aunque su talento resulta evidente, su carrera continúa en el ámbito privado hasta 1918. El conjunto de retratos de Schiele, que incluye algunas de sus obras más notables, representa una galería de imágenes de dichos individuos que acuden al artista personalmente. Sin embargo, entre ellos se cuentan importantes mecenas.

Ilust. 72: Franz Hauer, anfitrión del "Griechenbeisl" de Viena y coleccionista de Schiele, rodeado de su familia hacia 1908.

Ilust. 73: Schiele (izq.) y Arthur Roessler, agente y amigo del artista, de veraneo en el Traunsee, julio de 1913.

En 1910 Schiele conoce al gran industrial Carl Reininghaus, un ávido coleccionista de arte moderno al que ya apenas le cabe en sus residencias todo su patrimonio artístico. Tal problema de espacio no ceja de agravarse por la adquisición de numerosos dibujos y pinturas de neoartistas. Parece ser que por mediación de Schiele incorpora el *Friso de Beethoven* de Klimt (1902), de 34 metros de largo, a la colección Reininghaus, donde se salva de una muy probable destrucción. El médico y mecenas Oskar Reichel, a quien se puede considerar el descubridor del entonces poco conocido

Anton Romako (1832–1889), también se encuentra entre los primeros clientes de Schiele, siendo un comprador exigente, pero leal, de sus obras. En 1912 conoce a Franz Hauer, el anfitrión del popular "Griechenbeisl" en el Fleischmarkt, y a la familia del fabricante de bebidas espirituosas August Lederer, que resultan ser más bien obsesos del arte que coleccionistas adinerados dentro del círculo que se mueve en torno a Schiele.

Schiele encuentra a un devoto admirador de sus aptitudes especiales en Heinrich Benesch. "El Sr. B.", como Schiele lo llama, es, como tantos otros en el entorno del pintor, un hombre del ferrocarril. Mientras trabaja de inspector central presta sus servicios en la Estación del Sur. A pesar de que sus posibilidades económicas son limitadas comparativamente, es un ávido coleccionista de arte. En una conmovedora carta escrita en noviembre de 1910, le pide a Schiele que no tire o queme las hojas con dibujos no completados sino que se la dé a él, pues ve en ello una ecuación fascinante "Horno=Benesch", con la que pretende transmitir una imagen de la amistad paternal que une al funcionario con el artista y que hace de él un firme apoyo para todo lo que haga falta.

De importancia capital, tanto de amigo como de mentor, es Arthur Roessler. La tarjeta de visita de Roessler lo presenta como "escritor de arte". En 1909 visita en calidad de corresponsal de cultura de un periódico vienés la exposición inicial del Grupo de Neoartistas en el salón Pisko. Su entusiasmo repentino por las obras del pintor cambió su vida y la del pintor

Ilust. 74: "23 de mayo de 1913. Estimado señor Reininghaus: ¿Cuándo vendrá? Muchos saludos. Egos Schiele". Carta diseñada por Schiele para el coleccionista Carl Reininghaus.

y viceversa: aquel publicista con facilidad de palabra que tiene un excelente conocimiento del mercado del arte alemán y austríaco se convierte en el agente de Schiele y sus apóstoles. Gracias a él surgen los contactos con Reininghaus, Reichel y Hauer, acerca a los galeristas hasta Schiele y orienta al artista en cuanto a formatos y materiales fáciles de vender. Roessler también se encarga de la organización, algo que no le interesa a Schiele, pero, sobre todo, implementa una labor intensiva de relaciones públicas. Hasta entonces, no todo lo dicho se ciñe a la verdad, pero la prosa siempre efectiva de Roessler justifica la fama póstuma de Egon Schiele.

Ilust. 75: *Retrato del pintor Paris von Gütersloh,* 1918. Gütersloh es una de los organizadores de la exitosa exposición de Schiele en la Secesión.

Nunca ha habido un grupo de Schiele como sí hubo un grupo de Klimt, pues ni en Viena ni en ningún otro lugar, Egon Schiele fue alguna vez el artista preferido de una parte significativa de la sociedad. Schiele nos quieren hacer creer que era un genio hecho a sí mismo, pero no es cierto. Resulta bastante difícil encontrar a un joven artista de la Viena de ese tiempo, con un comportamiento tan profesional y al mismo tiempo tan apoyado con tanta pasión por sus mecenas como Egon Schiele.

## Suerte y miseria en el país

Hay muchos motivos por los que la clientela de Egon Schiele, pese a sus óptimos contactos y apoyos, aumenta tan lentamente. Uno de ellos es su estilo intransigente y comparativamente poco decorativo. Su pintura difícilmente encaja en la decoración de un salón elegante, tal como era costumbre de la época en cuanto a uso y espacios del arte. Un hito en la carrera de Schiele es su participación en el diseño del Palacio Stoclet en Bruselas en 1910. Este edificio supone un motivo de prestigio para el arquitecto Josef Hoffmann y los Talleres Vieneses, así como una obra de arte colectiva. Klimt ofrece un magnífico friso de ocho metros de largo, mientras que la propuesta de Schiele es una vidriera, que sí se le paga, pero nunca llega a realizarse, en que se muestra a una niña enfermiza de la periferia urbana cuya sonrisa enigmática y sus enormes manos huesudas causan asombro, incluso provocan malestar. Es arte de vanguardia, sin duda, pero no es el tipo de belleza que se busca para Stoclet. Como le ocurre al Egon Schiele persona, tampoco su arte hace concesiones al "buen gusto", que mezcla diversos ambientes y reclama total atención.

Otra explicación para el hecho de que Schiele consiga fijar tan lentamente su estatus en Viena es relativamente

Ilust. 76: *Heinrich Benesch y su hijo Otto*, 1913. Al igual que su padre, Otto, que más tarde será director de la Albertina de Viene, fue un temprano admirador de Schiele.

Ilust. 77: *Retrato de Erich Lederer*, 1912. El por entonces joven de 15 años, hijo de los coleccionistas de Klimt, August y Serena Lederer, es un comprador compulsivo de los dibujos de Schiele.

simple: permanece poco tiempo allí. Entre 1910 y 1912, pasa la mitad del tiempo fuera de su ciudad de residencia, en provincias, primero en Krummau, en Bohemia del Sur, más tarde en Neulengbach, a unos cuarenta kilómetros al oeste de Viena. Mientras Arthur Roessler y otros se esfuerzan por conseguirle clientes y encargos, Schiele busca sobre todo tranquilidad para trabajar sin que lo molesten. De hecho, se encuentra en el campo la ansiada tranquilidad, al tiempo que experimenta la crisis más profunda de su vida.

En la primavera de 1910, Anton Peschka (1885–1940), un neoartista como Schiele y posteriormente marido de su hermana Gerti, recibe una carta. "¡Peschka!", escribe a la sazón Schiele, "quiero irme de Viena inmediatamente. Esto me resulta odioso. Todo el mundo me tiene envidia y conspira contra mí. Los antiguos colegas me miran con falsos ojos. Viena es una sombra, es una ciudad negra. Todo está ya escrito. Quiero estar solo. Querría largarme a los bosques de Bohemia". Qué hay detrás de la añoranza de la tierra es algo que no se puede determinar. En febrero, el

Ilust. 78: El taller jardín de Schiele en Krummau, en la actual Linecká 343.

Ilust. 79: La calle peatonal de Schiele que desemboca en un imponente castillo. Krummau hacia 1930.

Ilust. 80: Arthur Roessler, fotografía de hacia 1915.
Ilust. 81: *Retrato de Arthur Roessler*, 1910.
Ilust. 82: *Imagen de Arthur Roessler*, 1910.
Ilust. 83: *Paisaje con campos (Kreuzberg cerca de Krummau)*, 1910.

Ilust. 84: *Casas en curva I (la ciudad pequeña V)*, 1915, es el primero de tres lienzos de este grupo de casas en la calle Larga de Krummau.

grupo de neoartistas expone en el Club de las Artistas Alemanas en Praga, donde Egon Schiele muestra por primera vez dibujos eróticos causando un gran revuelo. En la víspera de la inauguración, la policía confisca 14 de sus láminas, el resto se entrega al público discretamente en una carpeta. Quizá este escándalo cause cierto resquemor en el grupo, pero, en cualquier caso, surgen discrepancias entre Schiele y Anton Faistauer acerca del liderazgo de la Liga de Artistas. Tal vez haya un hecho que tendrá una importancia capital al que hace referencia una carta del Dr. Erwin von Graff. En la misma, este ginecólogo y radiólogo vienés informa a su amigo acerca del estado de una cierta "L. A." con claros signos de embarazo, ingresada en la clínica ginecológica y "muy preocupada" por lo manifiesto de su "infidelidad". En cualquier caso, en mayo de 1910 Schiele cancela su cuenta bancaria y se dirige, sin avisar previamente a su familia, a Krummau. En principio se queda allí hasta agosto, pero regresa de nuevo en octubre para pintar el otoño. En mayo del año siguiente, está de regreso en Bohemia, esta vez llega para quedarse.

Böhmisch Krummau [Český Krumlov] es por entonces una ciudad con cerca de ocho mil habitantes. El río Moldava, que es aquí un río joven, la rodea formando un bucle estrecho y marcado profundamente en el terreno, de manera que en la península resultante se levantan casas de piedra bien dispuestas y muy juntas al pie de callejas estrechas. Por encima de todo se alza un poderoso castillo, en el que la dinastía de Rosenberg floreció 300 años para luego acabar decayendo. Al pie del mismo, Egon Schiele encuentra un alojamiento, al que añade más tarde una caseta de jardín barroca como estudio. Tiene la prudencia de no instalarse en casa de sus familiares en Krummau, porque no viene solo, sino con una compañía de dudosa reputación... En 1910 se le unen los neoartistas Anton Peschka y Erwin Osen (1891–1970). Este último es un carismático pintor, bailarín, cantante y estafador, bajo cuya influencia Schiele orbitará durante este tiempo. Un año más tarde aparece Schiele en compañía de la modelo menor de edad Wally Neuzil.

Ilust. 85: *La Ciudad Pequeña IV (Krummau)*, 1914.

Ilust 86: *Retrato masculino con sombrero de ala ancha (Erwin Dominik Osen)*, 1910. Osen, un personaje ambiguo y opaco, acompañó a Schiele a Krummau.

Ilust. 87: El gouache *Casas viejas en Krummau*, 1914, muestra las casas de Flößberg [Plešivec] en Krummau. Las pequeñas letras sobre las fachadas son indicaciones de color.

En aquel pintoresco casco antiguo entre suaves colinas alrededor de Krummau, Schiele vuelve a la pintura de paisajes. Antes de 1908, el paisajismo había sido la nota dominante de su trabajo, pero luego todo ello quedó atrás en su proceso de reinvención como neoartista, donde primará el retrato. Al igual que con el retrato, Schiele busca también en el paisaje la vista desde arriba. Se puede ver al pintor con su cuaderno de dibujo en la mano fijándose en las torres del castillo de Krummau o en orillas escarpadas del arco del río Moldava, desde donde captura los recovecos de las antiguas fachadas y paredes.

Con los habitantes de Krummau, Schiele se entiende magníficamente cuando trata con ellos. El encanto exótico de Schiele tiene un efecto especialmente magnético sobre los niños, que acabará cuajando en numerosos retratos de niños y niñas que lo visitan en

su estudio. El 25 de mayo de 1911 escribe a Arthur Roessler: “Los niños me llaman el dios pintor, porque me muevo por el jardín con una camiseta de pintor. Dibujo diversos niños y mujeres, rostros ajados, idiotas, etc”. Cinco semanas después, Roessler recibió un mensaje de Bohemia donde se habla del final del cálido idilio con la aldea: “Querido Arthur R-r, ya sabe lo a gusto que estoy en Krummau, pero ya me resulta imposible seguir aquí la gente simplemente nos boicotea porque somos de izquierdas... Tengo hasta el 6 de agosto para mudarme, pero querría haberme ido ya el 4 y dirigirme a Neulengbach. Le ruego que me envíe algo de dinero, porque debo también llevarme algunas cajas”.

Ilust. 88 (izq.): *Antiguas casas de dos aguas en Krummau desde el castillo*, 1917.

Ilust. 89 (dcha. superior): *Casas al pie del Moldava, Krummau*, 1910.

Ilust. 90 (dcha. inferior): *Fachadas sobre el río (casa vieja I)*, 1915.

Schiele se ha ganado cierta enemistad por algunos de sus cuadros de “mujeres, rostros ajados y tontos”, de modo que enseguida y con mucho barullo lo echan de su vivienda. Tan solo podemos especular, una vez más, acerca de las causas. No hay duda de que destacaba como "izquierdista" en Krummau, tal como él mismo indica, y que, por tanto, llevaba una vida de "bohemio", pero ello no explica por qué la cosa fue a más de repente. Una pista conduce a un estudiante de secundaria llamado Wilhelm Lidl que se cruza en la vida de Schiele y descarrila. Este le envía al artista cartas de admiración, ensayos y poemas artificiosos, hasta que finalmente llegan ardientes declaraciones de amor. En junio de 1911, la madre del turbado adolescente manda una durísima carta a Schiele. Como Lidl ha ocupado el estudio de Schiele, ella consigue que lo expulsen de allí. Tal vez sea este el origen del escándalo público. Otra pista conduce al jardín de Schiele. Allí, en una zona de acceso abierto, el "dios pintor" en camisa pintaba desnudos de una tal Liesl Woitsch. Liesl no solo

Ilust. 91: *Muchacho de pie con abrigo largo, con las manos levantadas hacia la cabeza*, 1910.

Ilust. 92: *Dos niños de la calle*, 1910.

Ilust. 93: *La vieja ciudad I (Ciudad muerta V)*, 1912.

EGON
SCHIELE
1912

era jovencísima, sino que además era la hija del vecino, el cual acabó descubriendo todo el asunto. Incluso en los barrios obreros de Viena, donde Schiele encuentra a muchos de sus jóvenes modelos, el modo desinhibido de tratar con ellos es causa de su pésima reputación, pero en el mundo sacro de Krummau resulta además un grave pecado.

La tormenta que se avecina hace escapar a Schiele hacia Neulengbach en los bosques de Viena, una bonita villa con mil quinientas almas a los pies de una fortaleza gris, rodeada de campos abiertos. Las ventajas de Neulengbach las conoce bien Schiele, pues ha pasado varias veces el verano con los Czihaczeks aquí. El exiliado se instala en una sencilla casa con jardín que puede amueblar gracias a herencias familiares repintadas de negro. Siguiendo el modelo de *Habitación en Arles* (1888–1889) de van Gogh pintó allí *La habitación*

Ilust. 94: *Retrato de una mujer (Valerie Neuzil)*, 1912.

Ilust. 95: *Desnudo de muchacha joven con paño ocre*, 1911.

Ilust. 96: *Muchacho de pie mirando a la izquierda*, 1911.

*del artista en Neulengbach* (1911, ilust. 100). Resulta, pues, fácil imaginar el entorno sencillo pero de buen gusto en el que el artista pasa el verano de 1911 trabajando. Como frutos del mismo se cuentan la plasmación en lienzo de los temas de Krummau y como "tableros", es decir, en imágenes en madera, los poéticos y llenos de espíritu humano *Árboles otoñales* (1911) y el metafísicamente en cargado de alegorías metafísicas como *La revelación* (1911), donde rastrea cuál es la "impronta que una gran personalidad imprime entre sus contemporáneos".

En la primavera de 1912, Egon Schiele descubre cuál es la impronta que su gran personalidad deja en el mundo contemporáneo. Su joven modelo Wally sigue con él, lo mismo que los niños que entran y salen libremente de su casa. También en Neulengbach, donde está acostumbrado a vivir como en la gran ciudad, consigue que su estilo de vida haga recaer sobre él miradas de reproche. El 11 de abril, dos policías le llevan una citación y, al dar una ojeada a la morada del artista, se incautan de 125 dibujos eróticos.

El mismo día de las visita de los policías, Schiele puede leer en una pequeña noticia del periódico que

Ilust. 97: *Joven sentada con cola de caballo*, 1910.

Ilust. 98: *Joven desnuda de cabello negro, de pie*, 1910.

Ilust. 99: *Desnudo femenino sobre paño de cuadros*, 1911.

Ilust. 100: *La habitación del artista en Neulengbach (mi salón)*, 1911.

Ilust. 101: *Dos mujeres abrazándose*, 1911.

Ilust. 102: Neulengbach, hacia 1900.

Dibujos desde la cárcel:

Ilust. 103: *Movimiento orgánico de la silla y la jarra*, 1912.

Ilust. 104: *La anaranjada era la única luz*, 1912.

Ilust. 105: *Puerta hacia el exterior*, 1912.

el Titanic, el mayor y más majestuoso barco del mundo, ha sufrido un boquete en su viaje inaugural a Nueva York. El titular del hundimiento en el Atlántico Norte ya no le llega, una vez aislado del mundo y viviendo su propio naufragio, se sienta en la celda nº 2 del tribunal de distrito de Neulengbach. Se lo acusa de "secuestro" y "violación" de la joven de 13 años Tatjana von Mossig. Si es declarado culpable, lo aguardan hasta 20 años de condena. El horror que se refleja en su rostro da pie a 13 acuarelas y gouaches. Es un ciclo recurrente e insistente en la historia del arte a partir de la angustia vital, pero también de la rebeldía de un preso (ilust. 103–107).

Posteriormente, Schiele describe su caso de la siguiente manera: "... el destino hizo que yo le gustase a una joven y resultó que ella vino a verme por iniciativa propia. Yo la eché fuera. Pero ella regresó a la noche siguiente y ya no se fue. No había nadie por allí que viniera a buscarla. Si yo hubiera llamado a alguien, aquello habría acabado en un drama, así que la dejé conmigo y luego escribí a sus padres. Su padre vino a por ella. Se le aseguró que yo no la había tocado, sin embargo, heme aquí ante la corte. Y aquí estoy infamemente humillado por haber actuado correctamente...". Lo cierto es que no se pudieron probar las acusaciones relativas a la menor en el juicio ante el tribunal de distrito de St. Pölten. No obstante hay que dejar claro algo: Schiele había retratado a menores de edad desnudos, en poses eróticas y masturbándose, y nada más, no hay ni una línea en sus cartas, ni una palabra de sus amigos o enemigos, que sugiera que pudiera haber sido bajo presiones o que hubiera deseado físicamente a los menores. Pese a todo, no resultan tan inocentes sus atrevidas relaciones. El 4 de mayo, después de estar en prisión preventiva 21 días, Egon Schiele es condenado a tres días de cárcel. La razón es una "hoja de color, que representa a una muchacha jovencísima, vestida solo en la parte superior de su cuerpo". Schiele había clavado la imagen en la pared, tal vez exactamente en el mismo

Dibujos desde la cárcel:

Ilust. 106: *Me gusta esperar al arte y a mi amada*, 1912.

Ilust. 107: *Inhibir al artista es un delito, implica asesinar la vida que está surgiendo*, 1912.

Ilust. 108: Naturaleza muerta desde el estudio: *Escritorio de Schiele*, 1914.

Ilust. 109: Schiele en su estudio de Hietzinger Hauptstraße 101, Viena, 1915. Al fondo se divisa *La muerte y la mujer joven*, del mismo año.

Ilust. 110: Schiele como coleccionista. Una vitrina llena de objetos de artes y curiosos en su estudio, 1916.

Ilust. 111: E*rich Lederer delante de una ventana, Györ,* 1912.

punto que muestra la imagen *La habitación del artista en Neulengbach*. Como los menores tienen acceso a las salas de Schiele, el tribunal considera probado el delito de "violación flagrante y pública de la moralidad o del pudor". La consideración de los jueces impone a Egon Schiele una sentencia leve.

Inmediatamente después de su liberación, Schiele abandona Neulengbach en busca de paz y escapando de tanta inquietud. Atrás quedan los muebles, las pertenencias y también un período creativo. Casi no quedan retratos infantiles y los pocos que todavía se conservan no tienen nada de eróticos.

Egon Schiele se vuelve desolado a Viena, luego parte hacia Klagenfurt y de allí a Trieste, para acabar en el Wörthersee, pero en cuanto está de vuelta en Viena, emprende enseguida viaje a Bregenz. "Me repugnaba mi anterior interés por los paisajes melancólicos de Neulengbach," escribe echando la vista atrás. "Aquello me llevó a dar un giro total a mi vida, así que me quedé en Bregenz en 1912 y no veía nada más allá del lago agitado y las distantes montañas blancas y bañadas por el sol en Suiza. Quería empezar una nueva vida".

Ilust. 112: *Serena Lederer*, 1917.

En otoño, la tempestad en la vida de Schiele comienza a remitir, pero no por ello inicia una nueva vida, tan solo un nuevo periplo vital. Contará con la ayuda de dos personas. Gracias a Franz Hauer, el destinatario de la carta anterior, contará con un nuevo coleccionista que lo apoye. Durante toda su vida, Schiele hablará con muy pocas personas sobre el asunto de Neulengbach. El hecho de que se lo cuente a Hauer, alguien de más edad, muestra una relación especial de confianza. El joven Erich Lederer es la otra persona con quien mantiene amistad en esos meses. Sus padres, August y Serena Lederer, poseen una importante colección de Gustav Klimt. Invitan a Schiele a pasar el Año Nuevo de 1913 en la residencia de la familia Lederer en Raab [Györ] en Hungría. Allí entra en un mundo que le había estado vetado hasta entonces, "refinadísimo", con "carruajes" y "criados con botones grises plateados". Por correo urgente pide el inusualmente inseguro Schiele información a Arthur Roessler sobre la propina que se daba a un sirviente en una mansión como aquella, a fin de que le envíe la cantidad apropiada en efectivo. La cálida acogida que Egon Schiele

Ilust. 113: Schiele junto a su escritorio en su estudio, 1914.

recibe de esta familia de clase alta traerá cambios significativos a su vida.

Neulengbach, la ciudad que abandonó hace apenas ocho meses, sigue pesando en él. Aquel refugiado de la gran ciudad se ha convertido en un pintor vienés. En octubre de 1912, antes de su partida hacia Györ, Schiele se muda a un nuevo estudio en la capital. Está situado en el ático de una casa en la Hietzinger Hauptstraße 101, Viena XIII, en un barrio elegante de vida tranquila. Se mantendrá el estudio hasta bastante tiempo, hasta que en los últimos cuatro meses de su vida alquila además habitaciones adicionales en la cercana Wattmanngasse 6.

Algunas fotografías conservadas y una pintura nos permiten hacernos una idea de cómo era el estudio del artista. Hay que visualizarlo como una habitación grande, con ventanas arqueadas y un espacio luminoso. Las paredes son blancas y sin adornos, el mobiliario es sobrio y predominantemente oscuro: un espejo alto y estrecho, un escritorio, sillas de madera, taburetes, caballetes, estanterías para utensilios de arte apoyadas en la pared, lienzos, paneles de madera.

Ilust. 114: El artista en acción: *Schiele con una modelo desnuda dibujando ante el espejo*, 1910.

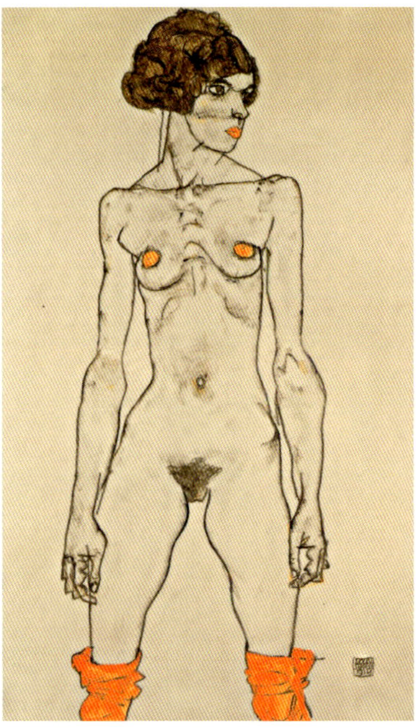

Ilust. 115: *Joven de pie con medias naranjas*, 1914.

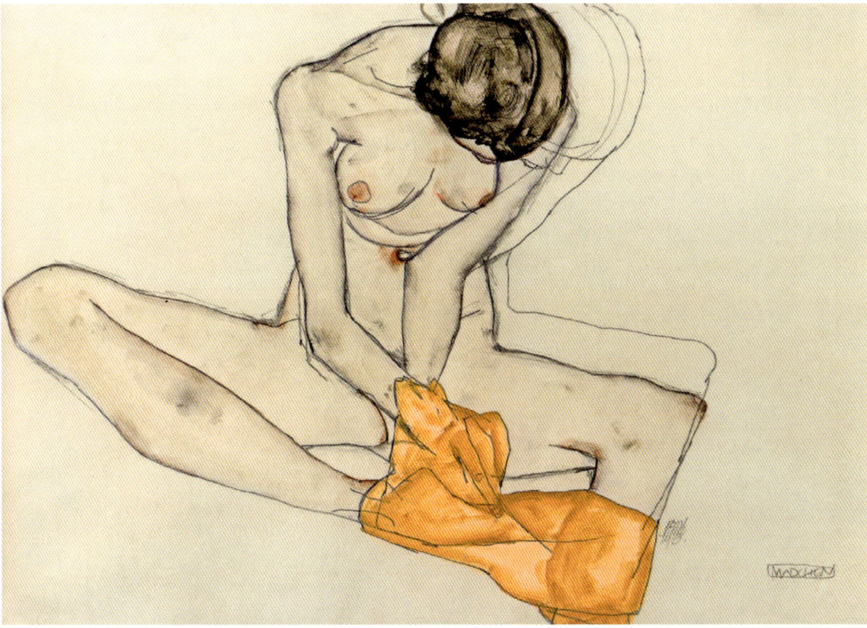

Ilust. 116: El artista Egon Schiele no conoce la goma de borrar: *Joven (desnudo con pañuelo amarillo)*, 1913.

Algunos muebles los ha rescatado Schiele de Neulengbach. Enseguida puede empezar a disfrutar de luz eléctrica, que por entonces no era de ningún modo algo habitual, pero que le permite seguir trabajando en invierno después de las 4 de la tarde. Cuando tiene dinero, Egon Schiele lo ahorra y con el tiempo consigue llenar las estanterías y dos grandes armarios con carpetas y folios, juguetes de madera y marionetas de sombras javanesas, que sabe mover con gran habilidad, abanicos y floreros; en definitiva, con una mescolanza multicolor de arte, cachivaches y folclore. El corazón del "niño eterno" adora sobre todo un caballo de madera de tres patas. Se aferra a él en la imagen el *Escritorio de Schiele* (1914, ilust. 108), así como en una fotografía de retrato (1914, ilust. 3) y todavía aparece en el cartel (1915) de una de sus exposiciones.

Se puede ver a Schiele en su entorno de trabajo, mitad estudio, mitad habitación de los milagros, y aquí podemos dejar que la escena por sí misma con Heinrich Benesch describiendo el artista: "Sus dibujos son

Ilust. 117: *El puente*, 1913. Es una muestra de lo que Schiele percibía como puentes "asiáticos", este sobre el río Raab [Rába] en Hungría.

Ilust. 118: *Stein an der Donau, visto desde el sur (grande)*, 1913.

Ilust. 119: *El lírico (autorrepresentación)*, 1911.

Ilust. 120: *Autocontemplándose II (Muerte y hombre)*, 1911.

sensacionales. La firmeza de su mano era casi absoluta. Al dibujar, solía sentarse en un taburete bajo, el tablero de dibujo con la hoja de personaje sobre las rodillas, la mano derecha con que dibujaba en la carpeta. Pero también lo vi dibujar de una manera diferente, de pie delante del modelo, con el pie derecho colocado sobre un taburete bajo. La mesa de dibujo la apoya en la rodilla derecha y la sostiene con la mano izquierda por la parte superior. Luego coge el lápiz con la mano libre, de pie, perpendicular a la hoja y tira líneas, por decirlo de algún modo, moviendo los hombros. Y todo esto

sentado recto y firme. Si alguna vez se equivocaba, lo cual era algo extremadamente raro, tiraba la hoja por ahí, pues no conocía la goma de borrar... Los colores siempre salía adelante sin modelo, todo de memoria".

A partir 1913, surgen la mayoría de los retratos en Hietzinger Hauptstraße, al tiempo que Schiele pinta paisajes sobre todo en el entorno familiar de su estudio. En una carta a Franz Hauer escribe: "... Creo y sé que copiar la naturaleza carece de sentido para mí, porque me salen mejores imágenes cuando las pinto de memoria, como si contemplase el paisaje". A partir de las

Ilust. 121: La imagen *El cardenal y la monja (caricias)*, 1912, es una alusión a *El beso* de Klimt. En él aparecen Schiele y Wally Neuzil.

Ilust. 122, 123, 124, 125 y 126: En 1914 surgen una serie de autorretratos fotográficos como estos. Resulta sorprendente la postura de las manos, que recuerda a la que se ve en los cuadros y dibujos de Schiele. La imagen exterior izquierda fue posteriormente retocada por el artista.

Ilust. 127: *Mujer de pie con vestido azul y medias verdes, desnudo de espaldas,* 1913.

visiones de la naturaleza, en un caballete de Viena toman forma composiciones geométricamente estructuradas, como las variantes de los temas de Krummau *La pequeña ciudad* (1913/14) y *Ciudad amarilla* (1914), o al rememorar un viaje de verano, las cuatro *Imágenes de la ciudad de piedra* (1913). Al elaborar sus borradores, Schiele experimenta con el color y el orden. En los gouaches de desnudos brillan los genitales, los pezones y los labios, a veces incluso los ojos, de un color rojo brillante como mirando al espectador. Schiele mueve fragmentos de paisaje y enfatiza usando azules, rojos y amarillos fuertes. Desde 1910 mezcla sus colores con Syndetikon, una cola doméstica barata, fabricada con cola de pescado, que aporta mayor espesor, produce más brillo y permite la modelización con el pincel.

Junto con los retratos y paisajes, en la obra de Schiele predominan las grandes alegorías: misteriosas

y melancólicas figuras o grupos, generalmente contra un fondo oscuro, a los que el artista concede el mayor valor. Los clientes, críticos e historiadores del arte lo tuvieron complicado con ellas. Incluso a Arthur Roessler, que probablemente es quien con más frecuencia que cualquier otro ha tratado con Schiele de su trabajo, debe descifrar títulos insinuados como *Autocontemplándose (Muerte y hombre)* (1911, ilust. 105) *Desaparición* (1915) y *La muerte y la doncella* (1915), todos ellos autorretratos: "La interacción personal con Schiele no da claves que nos permitan interpretar el oscurantismo de su pintura", señala en 1913. La aparición de estas imágenes está rodeada de un misterio insondable. El gesto tan característico de estas imágenes, las manos visiblemente agrandadas, los pulgares hacia abajo con el puño cerrado, las rodillas extendidas y las cabezas torsionadas, aparentemente Schiele les da forma al instante en el lienzo, a partir de una inspiración inexplicable. No aparecen en ningún dibujo, estudio preliminar o esbozo. "Su arte es un monólogo y, de algún modo, algo demoníaco", escribe Arthur Roessler sobre el alegorista Egon Schiele, cuyo estudio moderno y luminoso se nos antoja la cocina negra de un alquimista, que se invoca según una receta secreta que recupera un significado profundo en el alma del artista.

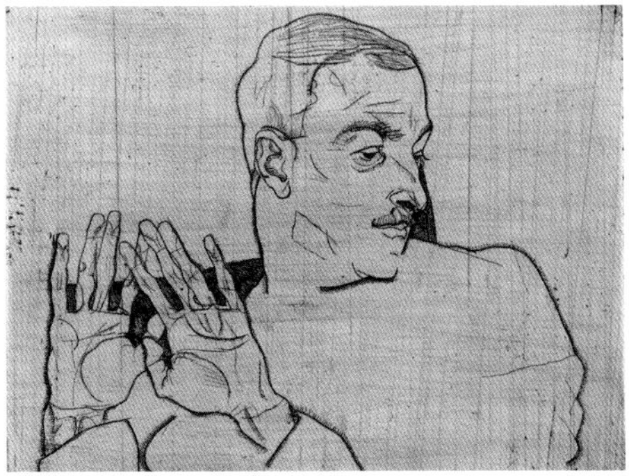

Ilust. 128: *Mujer desnuda*, 1914.

Ilust. 129: Uno de los tan solo seis grabados en punta seca de Schiele, el *Retrato de Arthur Roessler*, 1914.

Menos notorio resulta algo que sucede durante unos cuantos meses al principio del verano de 1914 en el estudio: durante un corto periodo, Schiele utilizará la técnica de la punta seca, que es especialmente apreciada y utilizada por los expresionistas del Imperio Alemán. Después de solo seis placas abandonará esta técnica por ser demasiado engorrosa. Además de cinco litografías, se le conocen dos xilografías y cuatro grabados en goma que se cuentan entre las obras maestras de los grabados expresionistas de Austria.

Ilust. 130: *Joven pelirroja vestida de negro con las piernas abiertas*, 1910.

Ilust. 131: *Semidesnudo de joven pelirroja*, 1917. A pesar de tener la firma debajo, esta imagen se considera que tiene formato apaisado.

## MUJERES

Hay también una buena parte de la vida del artista que es poco conocida, concretamente la que se refiere a las mujeres y las jóvenes que posaron en aquel gélido taller y cuyos cuerpos aparecen reflejados en numerosos dibujos y gouaches.

Muchos de estos trabajos tienen una fortísima carga sexual. Los genitales cautivan a este

Ilust. 132: *Joven morena con la falda muy levantada*, 1911.

Ilust. 133: *Mujer sentada con el vestido muy levantado*, 1914.

precoz artista. No se anda con ceremonias a la hora de virar y hacer girar a sus modelos, busca como ebrio por debajo de enaguas y blusas abiertas la visión de los pechos y el pubis, y luego los refleja en colores estridentes como si estuvieran iluminados con focos. Su lápiz los reproduce al detalle para la contemplación, mientras el artista pasa de puntillas por otras partes del cuerpo. Schiele reproduce con fascinación una y otra vez los contactos durante la masturbación o el enredo de los cuerpos durante los juegos amorosos en el papel o la cartulina de dibujo. Esas "visiones del vicio", como las denomina Arthur Roessler en 1918, no tienen, al verlas de cerca, "nada de seductor, nada de tentador". Les falta cualquier asomo de calor, carecen de consuelo y fantasía, los rostros no tienen pasión, los cuerpos están tensos. Pese a todo, esas hojas se recopilaron como eróticas y ciertamente a Schiele no se le escapa el gran éxito que tuvieron los dibujos y los gouaches explícitos. Las marcas de las arrugas permiten suponer

Ilust. 134: *Mujer de pie en rojo*, 1913.

Ilust. 135: *Modelo femenino en chaqueta y calzas rojo fuego*, 1914.

Ilust. 136: *La madre y la hija*, 1913.

Ilust. 137: *Mujer embarazada*, 1910.

que muchos de los coleccionistas habían doblado la parte más insinuante de esa temática hacia atrás y se lo habían reservado para el disfrute privado. Pero Schiele nunca ha considerado sus imágenes como algo que sirva para excitar a enamorados, pues son productos que llevan inequívocamente la firma del Arte Nuevo: "También en el arte erótico está lo sagrado" acuñará en 1911 como lema provocador. El grado de excitación suele ser muy alto en Schiele. En los dibujos de desnudos, se mezcla el deseo del joven pintor de romper las convenciones artísticas con la indomable curiosidad sexual de un hombre joven.

La demanda de Schiele de modelos para sus desnudos es enorme. Prefiere cuerpos delgados, sobre todo en el principio de su carrera, infantiles o adolescentes. Esto último no es solo por motivos estéticos. A raíz de que Schiele tiene en 1910 la oportunidad de pintar algunos desnudos de embarazadas en la clínica ginecológica del Dr. Erwin von Graff, surge toda una serie de imágenes con vientres abultados y pechos hinchados. Al principio, a Schiele le resultaba complicado encontrar modelos adultas. El oficio de modelo profesional no tiene por entonces ningún reconocimiento y muchas de ellas tienen como trabajo principal la prostitución. Schiele puede malamente pagar los precios que

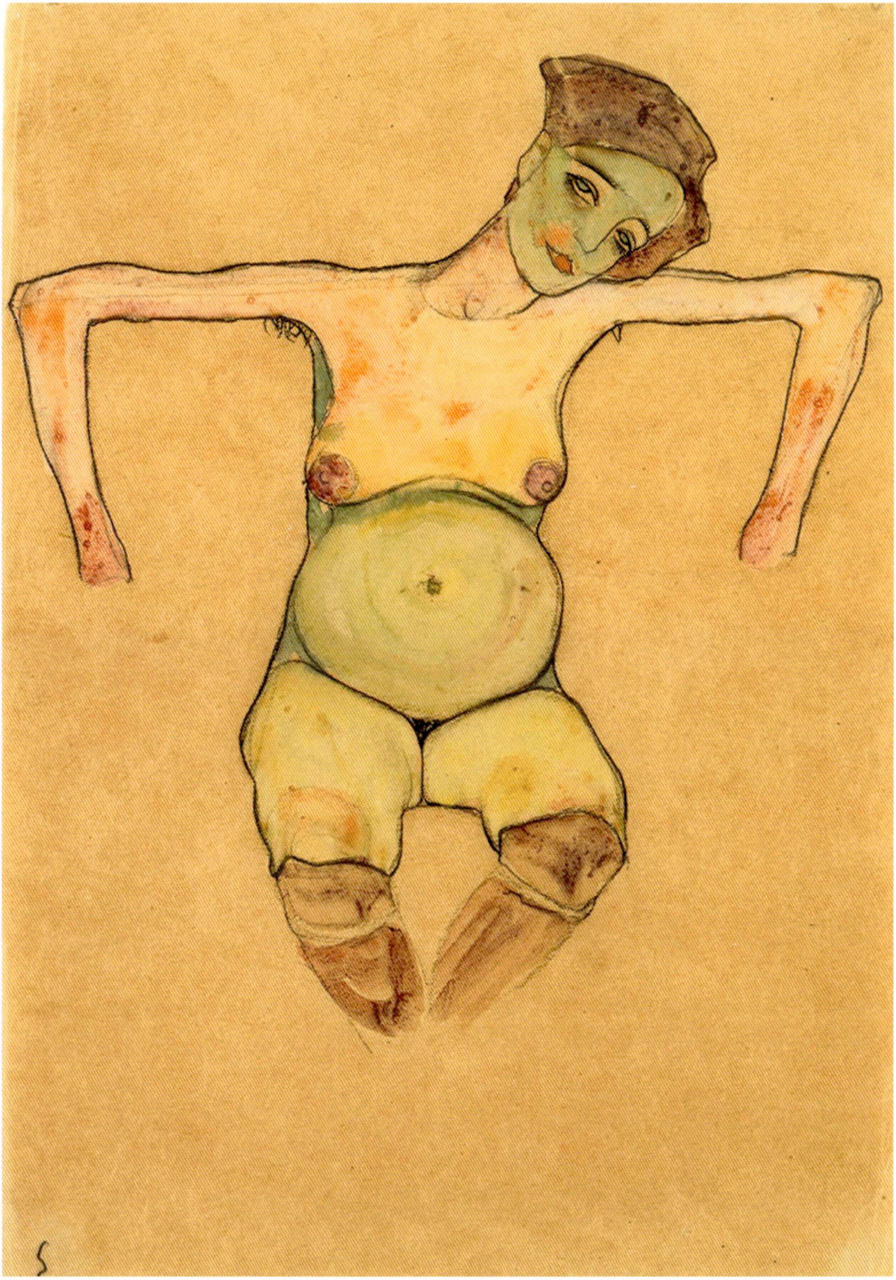

EGON
SCHIELE
1916

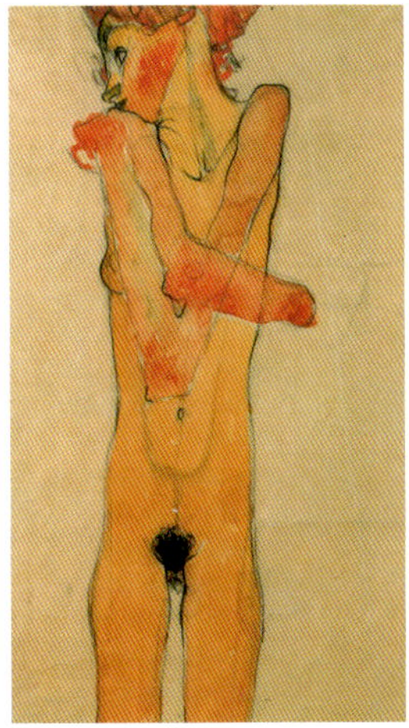

Ilust. 138: *Mujer con galgo (Edith Schiele)*, 1915.

Ilust. 139: *Desnudo sinuoso (abrazo)*, 1912. Según Heinrich Benesch, el primer comprador de la obra, en ella aparece el propio artista con una modelo.

Ilust. 140: *Joven desnuda con los brazos cruzados (Gertrude Schiele)*, 1910.

le piden y todo hace suponer que el joven e inexperto artista también se sintió a disgusto con mujeres de los barrios marginales

Está claro que hacia 1910 se sirve para sus desnudos sobre todo de su hermana Gerti, los encantos de aquella joven fresca y floreciente de 15 años resultan evidentes. Es sorprendente cómo Schiele la eligió sin dudar por encima de cualquier recelo y reticencia, e incluso discreción. Me consultaba sobre todos y sobre todo, y tenía una manera poco finas, a menudo tiránicas, de requerir mis servicios", recordará Gerti más tarde. "Se levantaba temprano con el reloj en la mano y se venía a mi cama para despertarme. Yo tenía que posar de modelo y seguir sus órdenes". Una vez en el estudio, fuera de la vista de la madre, su hermano de 19 años le exigía en tono autoritario que adoptase distintas poses, pues aun a pesar de la confianza entre hermanos, ciertas cosas resultaban exigencias inaceptables.

Tienen más disponibilidad y son aún más jóvenes las muchachas con las que Schiele contacta en los barrios trabajadores de Viena. Por un par de *heller* o ante la perspectiva de pasarse algún tiempo fuera de sus hogares, siguen al pinto hasta su taller. La relación de Schiele con ellas debió ser amigable, al contrario de con su hermana, pero si se tiene en cuenta las sorprendentes

Ilust. 141: Compañera, camarada, amante y modelo: Wally Neuzil con el artista, 1913.

Ilust. 142: Documento de una vida: *Autorretrato con farolillos chinos*, 1912, y el *Retrato de Wally Neuzil*, en el lado opuesto, formando un par de retratos.

posturas atrevidas en las que las dibuja no deja de ser menos curioso.

¿Acaso las muchas jóvenes de inocencia perdida que suben hasta el estudio de Schiele con el corazón acelerado no van solo a verse con el artista excéntrico, sino además con el amante? Algunos dibujos de 1911 nos hacen pensar que sí. La primera amante que surge en carne y hueso de entre la multitud anónima en los dibujos y gouaches de Schiele es Wally Neuzil.

Wally es una mujer sencilla de relaciones sencillas. Como tantas otras "jóvenes vienesas" procede de provincias y viene a la capital con la vaga esperanza de encontrar su suerte en el glamur. Primero se topará con la majestuosa figura de Gustav Klimt, del que será modelo y, con toda probabilidad, también compañera de cama. En 1911, con 17 años, Klimt se la "entregará" a Schiele. Como siempre, solo podemos imaginarnos como sucedió todo: la ofrecida y el receptor parecen ambos satisfechos con su destino común. Wally encuentra en Schiele a su gran amor. Schiele encuentra en Wally, una pelirroja de ojos verdes luminosos, una modelo voluntariosa y permisiva, una joven amante experimentada y una compañera sacrificada en los momentos más difíciles. Tras la amarga despedida de

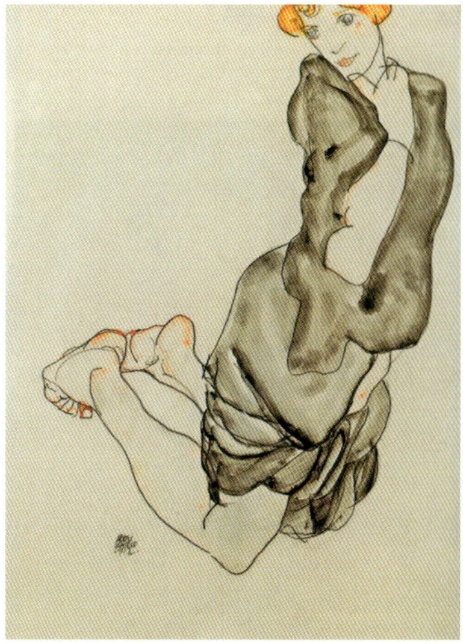

Ilust. 143: *Retrato de Wally Neuzil*, 1912.

Ilust. 144: *Mujer de rodillas con capa gris (Valerie Neuzil)*, 1912.

Krummau a comienzos del verano, Wally corre a acompañarlo. En el asunto de Neulengbach se comporta con "tanta nobleza", que lo "conmueve", como confesará el propio Schiele.

A Wally le gusta cautivar a Schiele, pero eso no significa que él pensase alguna vez comprometerse con ella. En Krummau le busca a Wally su propia residencia y ella viaja desde Viena a Neulengbach. Cuando Schiele se instala en la Hietzinger Hauptstraße, ella encuentra una habitación en las proximidades, pero en ningún momento es "la mujer de Schiele". Aún en 1913, ella es para Arthur Roessler, el confidente más cercano del artista, tan solo "una modelo". Para Anton Peschka, el amigo artista, es una "prostituta". Ambos vienen a referirse a lo mismo: Wally no es algo "permanente", es tan solo una compañera de juegos, no una pareja.

Schiele debería haber visto las cosas de igual manera, pero la relación concluye cuando el artista busca una relación sólida. En marzo de 1913, Gerti Schiele y Anton Peschka hacen pública su relación amorosa. Schiele reacciona sin pensar, celoso y escribe varias cartas de mal gusto, obligando a retrasar la boda hasta el invierno de 1914. Aquella situación lo altera enormemente.

Poco después de la boda de su hermana preferida, por fin reacciona. El 16 de febrero de 1915, el pintor envía una tarjeta con la letra muy ajustada a Roessler. En ella, le cuenta, con su habitual estilo de telegrama, acerca de sus actividades artísticas. Con una frase perdida entre mensajes contradictorios, Schiele cuenta que rompe la relación con Wally y da pistas sobre su futuro: "antes tengo que casarme con la mujer justa, que quizás no sea Wally". Cuatro meses después, el 17 de junio de 1915, Egon Schiele se casa con Edith Harms, de 22 años. Las

Ilust. 145: *Edith Schiele con vestido a rayas, sentada*, 1915. El vestido que Edith lleva en este retrato y en otros se lo hizo ella misma con las cortinas del estudio de Schiele.

Ilust. 146: *La mujer del artista*, 1915.

Ilust. 147: Edith Schiele hacia 1916.

campanas de la iglesia de Santa Dorotea de Viena [Dorotheerkirche] no suenan, no hay palomas volando por encima de la pareja, es una ceremonia informal en tiempos de guerra, sin amonestaciones. Además, la madre del novio está ausente.

Wally y Schiele no vuelven a verse después. Parece ser que el artista quería, pese a estar casado, mantener la relación, llevársela consigo "de viaje de reposo todos los años en verano". Wally debería haber visto en ello un signo de locura. Sus huellas se pierden enseguida. Unas décadas más tarde, un cronista del arte descubre su nombre entre los fallecidos de un edificio imperial en ruinas en Dalmacia. En 1917 murió allí trabajando como enfermera víctima de la fiebre escarlata.

Ilust. 148: Wally no puede detener a Schiele. El gouache *Pareja de novios (autorrepresentación con Wally Neuzil)* es de 1915, el mismo año en que Schiele se casa con Edith Harms.

A diferencia de Wally, Edith Harms es una mujer de conducta intachable. La educación de aquella joven educada en un colegio religioso es muy superior a la de Schiele. Su padre trabaja de montador de trenes y su madre ha aportado algún capital al matrimonio, de modo que viven con cierta prosperidad. Schiele se casa, según él, "en las condiciones más favorables" con una mujer de bien y de clase media. La buena familia Harms accede a poner el taller del artista justo enfrente, en la Hietzinger Hauptstraße 114. En enero de 1914, Schiele parece que descubre a Edith allí. Al principio vacila entre ella o su hermana mayor, pero no menos bella, Adele. En cartas sugerentes y llenas de encanto escribe él sobre ambos: "Querida señorita: No sé si la señorita rubia o la del cabello moreno se llama Adda. ¡Ambas son malvadas como

yo!". Hasta enero de 1915 no sale a la luz el compromiso surgido de la correspondencia intercambiada entre ambos lados de la Hietzinger Hauptstraße durante un año en forma de tarjetas y notas. Si bien es cierto que Schiele invita a ambas hermanas –y también a Wally– al cine, pero será la mano de Edith la que dará una respuesta afirmativa añadiendo enseguida: "Pero mi madre no debe enterarse de esto". A finales de enero le abre su corazón: "Te quiero tantísimo". El compromiso matrimonial llega en marzo.

Ilust. 149: *Dos mujeres en posición entrelazada, tumbadas*, 1915.

Ilust. 150: *Dos mujeres en cuclillas*, 1918.

No siempre le resultó fácil el matrimonio a Edith con Egon Schiele. Tan solo cuatro días después de la boda, el pintor parte a la guerra y Edith viajará tras él, de acuartelamiento en acuartelamiento, como si fuera una cantinera. Solo a partir de 1917 se podrán plantear mantener una vida matrimonial estable en Viena, aunque será una vida que exija un alto grado de confianza y tolerancia por parte de Edith. Solo en los últimos años de su vida, 1917 y 1918, consigue Schiele realizar retratos de mujer excepcionalmente eróticos. Parece ser que, al principio, Edith había insistido en ser su único modelo para los desnudos. De ser cierto, no mantuvo mucho tiempo tal condición, sea porque Schiele no quería que lo limitasen, sea porque ella no se sentía capaz de mantener mucho tiempo aquella exigencia inicial. Es una cuestión delicada, pues no solo pasaban delante de su marido modelos profesionales, sino hasta su propia hermana Adele. Uno de los gouaches más conocidos de

Ilust. 151: *Pareja sentada (Egon y Edith Schiele)*, 1915.

Ilust. 152: Supuestamente representa a la cuñada de Schiele, Adele Harms: *Mujer sentada con la rodilla alzada*, 1917.

Schiele, la *Mujer sentada con la rodilla alzada* (1917, ilust. 152) seguramente la refleja a ella. Resulta desconcertante la imagen *Pareja sentada* (1915, ilust. 151), donde Edith aparece dibujada con Schiele: mientras ella lo rodea con los brazos por detrás, el artista permanece ausente, desganado e inanimado como una muñeca mecánica en los brazos de ella, con la mirada fija y la mano en el sexo.

Pese a todo, la vida familiar de los Schiele no parece estar en armonía. Las cartas de Edith hablan de amor, admiración y esperanza en un futuro feliz. Cuando muere el 28 de octubre de 1918, está embarazada de seis meses.

## El servicio militar

En junio de 1914 Egon Schiele está sentado en las planchas que desde hace poco se almacenan en su campamento. Aquel material inicialmente desconocido ya no le causa problemas. En tres de las placas graba, en cuclillas, imágenes de la derrota y de Arthur Roessler. Encima de su mesa hay una noticia agradable: el editor Franz Pfemfert escribe desde Berlín, en cuya revista expresionista *Die Aktion*, acaba de aparecer publicado el Manifiesto del Arte Nuevo y que tiene interés en publicarle entonces algunos dibujos. Por otro lado, le escribe desde Múnich, donde su cuadro *Madre ciega* (1914) se expone en la Secesión, su galerista Hans Golz para pedirle cuadros para una gran exposición. Arthur Groessler lo saluda con una postal desde Bruselas, donde se exponen cuatro dibujos y tres cuadros de Schiele en el Salón Triennal. Uno de ellos, *Girasoles* (1914) lo adquiere por nada menos que tres mil francos un coleccionista. El verano de 1914 promete ser espléndido para Egon Schiele.

No obstante, el dinero de Bruselas no dura eternamente. Los *Girasoles* volverán a verse en 1917, cuando regresan a Viena dando un rodeo. La razón de ello son los dos disparos efectuados el 28 de junio en Sarajevo y que conmocionaron al mundo. A corta distancia, el nacionalista serbo-bosnio de 19 años Gavrilo Princip abre fuego sobre el heredero al trono austríaco Francisco Fernando, archiduque de Austria Este, y su esposa la condesa Chotek. Poco tiempo antes, ambos habían escapado de un atentado con bomba, cuando las balas del príncipe resultaron mortales. El asesinato desató una crisis diplomática entre Austria-Hungría y Serbia. Al final de julio estalla una guerra en los Balcanes que, al principio de agosto, desemboca en la Primera Guerra Mundial.

La guerra supone el telón de fondo de los últimos años de Egon Schiele. En junio de 1915 fue llamado a filas y se mantuvo enrolado hasta 1918. No llega a vivir hasta la firma del armisticio. Sin embargo, la milicia y la guerra pasan prácticamente desapercibidas en su obra, hay tan solo una serie de retratos de prisioneros rusos, imágenes de algunos camaradas de armas, dibujos sueltos sobre las oficinas de servicio. Nada patriótico, nada crítico. Una imagen de Schiele con el pretencioso título *La resurrección de las tumbas heroicas* (1917), que se encuentra en un catálogo, es un cuadro que se remonta a 1913. Le había cambiado el nombre para la exposición sobre la guerra del Prater de Viena, porque los trabajos allí expuestos entonces han tenido "algunos de ellos relación con la guerra". Pero sus dibujos no la tienen. Antes de 1914, sus retratos muestran estados de ánimo nerviosos y depresivos; en cambio, ahora, aparecen más apagados y menos exaltados. Por otro lado, está por dilucidar si

Ilust. 153: *Cuñada del artista con vestido a rayas, sentada*, 1917.

Ilust. 154: *Querubín (Anton Peschka jr.)*, 1915. La hoja recoge el retrato del hijo de Gerti y Anton Peschka.

Ilust. 155: Schiele con su odiado "mono" y compañeros de armas de distintos grados en el campamento de Mühling, 1916.

la guerra tiene algo que ver en este cambio de estilo. La guerra no le interesa como tema, pues ya tenía los suyos propios desde hacía tiempo y se mantendrá fiel a ellos.

El hecho de que Schiele no tenga que enfrentarse a los horrores de la Guerra Mundial y que pueda proseguir con su trabajo habitual se lo debe a una suerte casi legendaria y a la fortuna. A modo de comparación, Oskar Kokoschka, el otro gran expresionista austríaco y feroz competidor de Schiele, es llamado a filas antes. Al poco tiempo, el artista recibe un balazo de la infantería rusa en el cráneo y una bayoneta le atraviesa las costillas hasta alcanzar los pulmones. Kokoschka sobrevive y es reenviado al frente, donde, al poco tiempo, sufre una crisis de ansiedad, de la que le costará recuperarse. Schiele, por el contrario, permanece acuartelado en el interior del país, en puestos tranquilos, bajo la autoridad de oficiales comprensivos. La libertad que sus oficiales le dan para trabajar sabe ampliarla Egon Schiele hasta 1918, quedando casi libre de servicio.

Dos años y medio se pasa el soldado Schiele luchando por esa libertad. Los dos primeros acuartelamientos de su servicio militar transcurren en Bohemia. El 21 de junio de 1915 debe incorporarse al servicio en Praga. Allí vive su abuelo Ludwig Schiele y obviamente en el registro militar local se sigue incluyendo al nieto. El centro de recogida es el gran pabellón del Jardín Botánico de Praga, donde es encuartelado junto

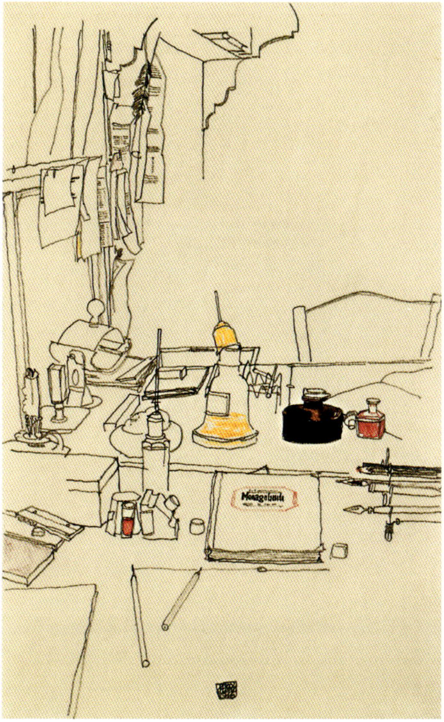

con por lo menos otros 10.000 reclutas. Edith Schiele acaba de llegar también, con su nuevo apellido recién estrenado que usa en el libro de registro del elegante hotel París. Por la noche se reúne la joven pareja en las tapias del cuartel o, si Egon tiene un permiso, en el café Arco, el lugar de encuentro de los jóvenes poetas y pensadores alemanes en Praga. El café lo frecuenta un artista austríaco que casualmente, al mismo tiempo que Schiele y al igual que le ocurre a este, pese a su composición física delgada, es declarado apto: se trata del escritor praguense Franz Kafka. No se puede descartar que ambos llegasen a conocerse. Mientras Kafka no llega a enrolarse a causa de la oposición de su empleador, a Schiele lo destinan a un regimiento donde predominan los checos, de modo que el 1 de julio parte en un vagón de mercancías hacia Neuhaus [Jindřichův Hradec] en el sureste de Bohemia. En vez de en el

Ilust. 156: *Escritorio en el campo de prisioneros de Mühling*, 1916. Esa mesa de trabajo pudo ser la del propio Schiele.

Ilust. 157: *Cabo voluntario de un año*, 1916. Esta imagen retrata supuestamente al cabo de pie a la derecha de la ilust. 155.

palacio de congresos de Praga, Schiele tiene ahora que pernoctar en un granero; en vez de en el "París", Edith vive ahora en el hotel Central; por lo demás, hay pocos cambios. A los compañeros de Schiele aquella vida cotidiana apática les resulta asquerosa, brutal y terriblemente anodina. Schiele pasa cada minuto libre con su mujer, junto a la cual se puede quitar aquellas botas ásperas y el "mono" azul claro y hasta puede dibujar un poco. El tema de sus dibujos debió ser Edith, pues aquel paraje precioso que le recuerda a Krummau no lo puede ni pintar ni contemplar con tanto uniformado por allí pululando.

Los intentos de Schiele de que lo trasladen a la residencia de la prensa en Viena, donde otros muchos artistas han encontrado refugio, resultan infructuosos. Pese a todo, consigue volver a la capital. En agosto lo destinan a cavar trincheras en Exelberg y en el zoológico de Lainzer. El trabajo es agotador, pero al menos puede dormir en su casa de Hietzing,

Ilust. 158: *Soldado ruso (campo de prisioneros de guerra)*, 1915.

Ilust. 159: *Retrato de un soldado ruso*, 1915.

Ilust. 160: *Autorretrato*, 1912.

EGON
SCHIELE
1916

donde ahora Edith se ocupa del hogar común. También Schiele encuentra más tiempo para el arte. Entre el 11 y el 23 de agosto nacerá el primero de los dos grandes retratos individuales de Edith, el *Retrato de la mujer del artista* (1915, ilust. 163). En noviembre, el pintor vuelve a pasar reconocimiento y es declarado "apto para el servicio en oficinas". Como el puesto asignado para él no está inmediatamente disponible, se dedica a ayudar en la escolta del transporte de prisioneros entre Gänserndorf y Viena. Es una actividad que le lleva tiempo, aunque sin complicaciones, que le permite mientras tanto ultimar los siete primeros retratos de prisioneros de guerra.

En mayo de 1916 vuelve a mejorar la situación de Schiele. Entra a trabajar de escribano en la oficina de víveres de un campamento de oficiales rusos prisioneros de guerra. El campamento está en Mühling an

Ilust. 161: *Prisionero de guerra ruso (Grigori Kladjischuili)*, 1916.

Ilust. 162: El tema de la imagen *Molino en ruinas (Molino en alto)*, 1916, lo descubre Schiele durante una excursión con sus camaradas del campamento de Mühling.

Ilust. 166: *Retrato de la mujer del artista, de pie (Edith Schiele con traje a rayas)*, 1915.

Ilust. 164: Edith y Egon Schiele con el sobrino de Edith, Paul Erdmann, hacia 1915.

Ilust. 165 (página derecha): *Retrato de Edith Schiele*, 1918.

der Erlauf, una localidad tranquila en la provincia de Baja Austria. Se trata de una zona montañosa deliciosa, cuya comida es mucho mejor que la de Viena, en donde la economía de guerra deja los platos vacíos, y el trabajo es llevadero. Además, Edith puede trasladarse aquí. Cuando Schiele no está sentado en su habitación, pasa el tiempo con ella, juega a las cartas, al billar o a los bolos en el casino de oficiales, con toda la calma, o bien trabaja en su pequeño estudio, que sus superiores le han dejado poner en el almacén. El 1 de junio empieza Schiele a pintar aquí uno de sus paisajes más hermosos, el *Molino en ruinas* (1916, ilust. 162). Ese tema lo había descubierto poco tiempo atrás tras una excursión con sus compañeros, "con todas las piedras blancas iluminadas por un fuerte sol". A partir de agosto continúa con su serie de retratos de guerra de prisioneros rusos. No se sabe nada acerca de las circunstancias que mueven a Schiele a realizar estos espléndidos retratos, así como si Schiele los dibuja en su

EGON
SCHIELE
1918

estudio o en los barracones, o bien si se presentan voluntariamente o no como modelos.

Schiele se lo ha montado bien en Mühling, pero enseguida se siente impulsado a abandonar la vida segura en que está instalado, quiere volver a Viena. Allí es donde sabe seguro que cogerá velocidad su carrera de artista, para lo cual negocia con el galerista Guido Arnot una gran exposición para noviembre. El espectáculo fracasa a última hora por diversas cuestiones relativas a pagos, pero al menos la solicitud de traslado de Schiele tiene éxito. Gracias a una impenetrable red de contactos, tiene nuevo destino a partir de enero de 1917 en a la "Tienda Imperial de Venta al Pormenor para Asalariados del Ejército en el Campo de Batalla" con sede en Viena. Esta institución de retorcido nombre debe su existencia a una asociación profesional del ejército imperial que tiene como fin mantener ciertos privilegios especiales. Aquí se almacenan en abundancia todos los productos de consumo de lujo que tras tres años de guerra empiezan a escasear. Un mes después de su traslado, Schiele escribe: "los días laborables trabajo de 8 a 3, a las 4 se cierra. Los sábados y días festivos estoy libre. La verdad es que va muy bien. Trabajo todos los días para mí y recibo a muchos nuevos compradores... Aquí, en la tienda al pormenor, recibo cigarros, manteca, azúcar, café, etc., y además puedo beber aguardientes de muestra". Su comandante es un hombre de cultura al que le gustan los artistas. El significativo aumento de la producción artística de Schiele a partir de 1917 sugiere que a menudo puede trabajar en sus obras durante sus horas de servicio. Schiele aumenta el ritmo de su actividad y hace planes para después de la guerra.

Ilust. 166 (página izquierda): *La familia (pareja en cuclillas)*, 1918. La mujer retratada no es Edith.

Ilust. 167: *El penúltimo destino del soldado Schiele: tienda al por menor: sala de embalajes en Viena, Schottenfeldgasse*, 1917.

Ilust. 168: Egon Schiele, 1918.

Ilust. 169: *Retrato de Robert Müller,* 1918. A principios de 1918, algunos cuadros empezados del artista se quedan sin acabar.

Ilust. 170: "Por desgracia, la situación ha empeorado...", escribe Schiele en una de sus últimas cartas, 27 de octubre de 1918.

Por propia iniciativa, el 29 de abril de 1918 es trasladado desde la tienda al por menor en su último destino militar al Museo de la Guerra de Viena, justo un mes después de su gran éxito en la Exposición de la Secesión. Lo cierto es que allí estaba cumpliendo su servicio solo teóricamente, pero no hay modo de averiguar cuál era la verdadera tarea de Schiele en aquella casa. El verano de 1918 promete ser venturoso para Egon Schiele.

## La gloria

Después de la 49ª Exposición de la Secesión en marzo de 1918, Egon Schiele siente por fin que el gran público reconoce "su grandísimo e incontestable talento"

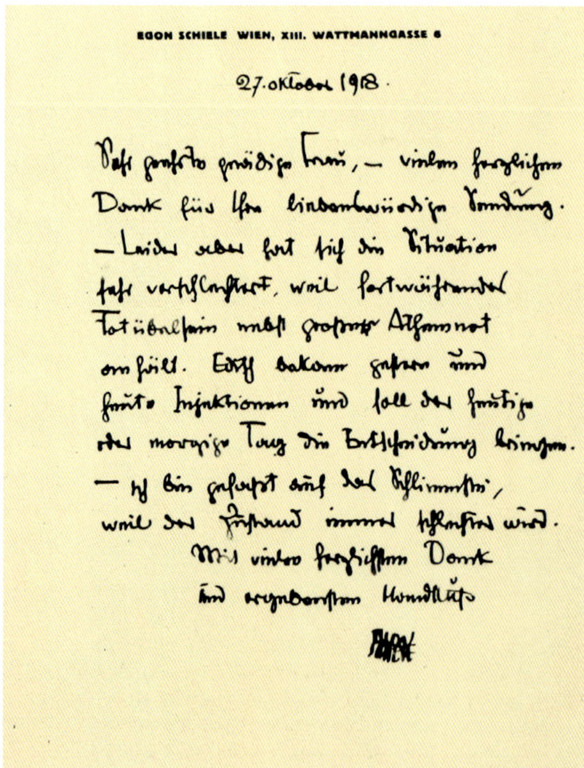

EGON SCHIELE WIEN, XIII. WATTMANNGASSE 6

27. Oktober 1918.

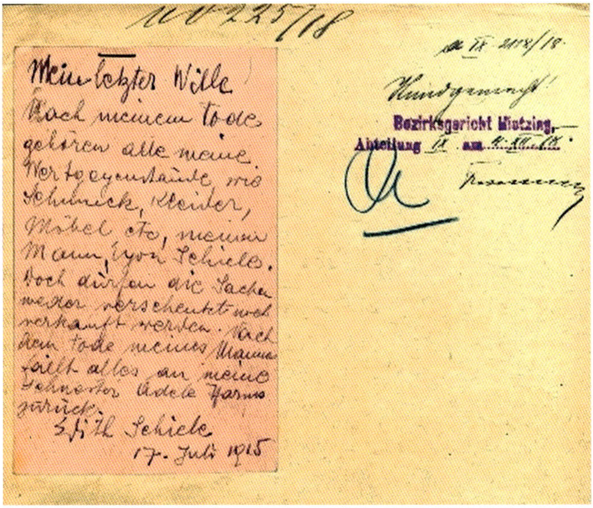

Ilust. 171: Testamento de Edith Schiele: “Mi última voluntad. Tras mi muerte, todas mis pertenencias, como joyas, ropa, muebles y demás, le pertenecen a mi esposo, Egon Schiele. Dichos objetos no podrán ser regalados ni vendidos. Tras la muerte de mi esposo, todo retornará a mi hermana Adele Harms. Edith Schiele, 17 de julio de 1915”

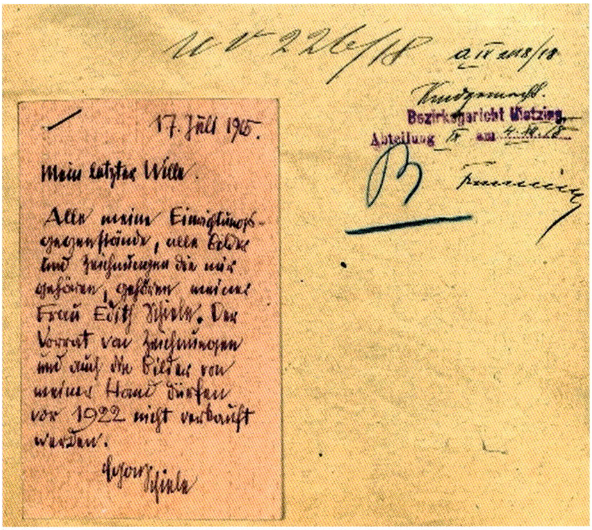

Ilust. 172: Testamento de Egon Schiele: “17 de julio de 1915. Mi última voluntad. Todo mi mobiliario, todos los cuadros y dibujos que me pertenecen, le pertenecen a mi esposa, la señora Edith Schiele. Ni los dibujos ni los cuadros pintados por mí podrán ser vendidos antes de 1922. Egon Schiele”

dentro del arte austríaco. A la fama sigue la riqueza. Por primera vez en su vida, le irá bien financieramente. Aunque aún están por llegar “grandísimos premios” para sus lienzos, Schiele dispone ahora de medios y tiempo para trabajar sin tregua en el caballete. Ya tiene en su agenda exposiciones para el verano y el otoño, en Praga, Zúrich y Viena.

Ilust. 173: El último dibujo de su mujer, *Edith Schiele*, 1918, donde retrata a su esposa la víspera de su muerte, el 27 de octubre de 1918.

Ilust. 174: Tétrica visión: *Madre muerte I*, 1910.

Solo que las cosas suceden de otro modo. El verano de 1918 es el último de Schiele, de hecho, la exposición de Viena de la primavera tendrá que realizarse sin él. De los 16 cuadros en que estuvo trabajando en 1918, dos se quedan inacabados en su estudio: el paisaje *Mödling* (1918) y el retrato del escritor expresionista *Robert Müller* (1918). El último cuadro acabado del artista muestra un destino doblemente amargo, refleja a su mujer enferma en la cama. El 20 de octubre Edith contrae la gripe española, que, por entonces, arrasa Europa y se lleva a millones de personas por delante. En la madrugada del 28 de octubre, amanece muerta.

Mientras Schiele pinta el último retrato de ella, también él lleva dentro el virus. El 31 de octubre fallece a la una de la madrugada en la vivienda de sus suegros, al otro lado de la calle de su estudio en Hietzinger Hauptstraße. El 3 de noviembre sus restos mortales son enterrados en el cementerio de Ober St. Veit, el mismo día que la Casa de Habsburgo a punto de disolverse firma el armisticio. La guerra se ha acabado y amanece una nueva era.

El nuevo periodo trae una gran excitación. Allá donde antes la creciente estrella de Schiele brillaba cada vez más fuerte y más deprisa, ahora de repente se esconde

Ilust. 175: *Madre con dos hijos III*, 1918. Como modelo de madre, Schiele escoge a su propia madre y para ambos niños, a su sobrino Anton Peschka jr.

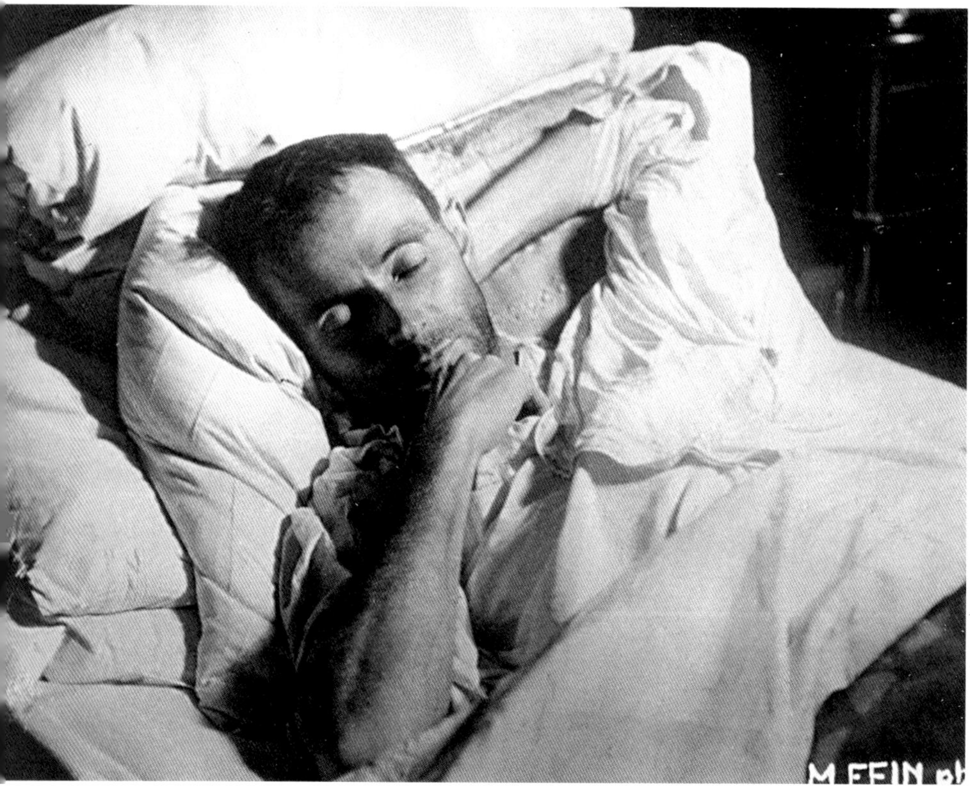


Ilust. 176: Egon Schiele en el lecho de muerte, 1918.

detrás del horizonte. Los obituarios y los homenajes en los periódicos vieneses pasan desapercibidos entre los grandes titulares referidos a las reuniones de soldados y trabajadores, o la disolución y refundación del Estado. Cuando las noticias se vuelven menos dramáticas, Schiele ha dejado de ser de interés. Kokoschka, que trabaja en Dresde tras recuperarse de sus heridas, se ha convertido en el principal representante del modernismo austríaco. El antiguo neoartista se ha convertido,

"SOY UN SER HUMANO: AMO LA MUERTE Y AMO LA VIDA".

Egon Schiele, 1910

mientras tanto, en un personaje histórico, que está presente, lo mismo que Klimt, en la incalculable cantidad de arte y cultura enterrada entre los escombros de un reino venido a menos. Algunos museos incluyen sus obras entre sus colecciones, que son muy buscadas por los expertos y vendidas muy caras, pero ya no están en la primera línea del arte. Entre 1923 y 1928 se celebraron en Viena al menos dos exposiciones de Egon Schiele. Durante el periodo nacional-socialista sus obras fueron calificadas de "degeneradas", a raíz de lo cual desaparecieron, salvo algunas excepciones, en depósitos y trasteros.

Ilust. 177: Máscara mortuoria de Egon Schiele, 1918.

El redescubrimiento de Schiele acaece en la década de 1960, con la llegada de nuevos tiempos, y procede del mundo anglosajón, donde habían emigrado algunos de los más fieles coleccionistas y entusiastas de Egon Schiele. Será allí donde se elogie y canonice ahora al neoartista en una gran retrospectiva como uno de los maestros más radicales del modernismo de la remota vieja Europa. Unos cuarenta años después de la muerte del artista le llega el éxito internacional. Encuentra su lugar como pintor al lado de Klimt y Kokoschka. Como dibujante incluso supera a ambos: en la década de 1970, en la Albertina de Viena, que por entonces alberga una de las colecciones gráficas más importantes del mundo, se necesita un permiso especial de la dirección para exponer los originales de dos artistas, para Alberto Durero y Egon Schiele.

A la nueva fama, enseguida se le une un nuevo interés. Desde que la obra erótica de Schiele decora, con buena iluminación, las paredes del museo, los amigos

Ilust. 178: *Arbusto al final del otoño*, 1910.

del arte y los estudiosos no hacen más que preguntarse una cosa: cuál es la fuente de la energía sexual que ha permitido a Egon Schiele dibujar aquella cantidad ingente de hojas. Seguimos buscando una respuesta convincente. No obstante, los periodistas, escritores y cineastas tienen su propia visión del asunto a falta de otras informaciones fiables y han elaborado, a partir de las relaciones de Schiele con modelos jóvenes y muy jóvenes, un material narrativo duradero y fácil de vender acerca de aquel maniático amante de lo erótico con complejo de Lolita.

Sin duda la etiqueta difundida de maníaco erótico que le colgaron a Egon Schiele no es justa, lo mismo que la de artista del escándalo. Los muchos conflictos de su vida, que a la postre son alimentados por el egocentrismo de un hombre excepcional, y sus relaciones con menores de edad forman parte de su biografía, aunque son tan solo, como hemos intentado demostrar, una parte de un todo grandioso. El arte de Schiele es dramático y explícito, y en ocasiones parece como si se alzase insolente contra los principios estéticos. Lo que hace de su arte algo grandioso es que no se agota, del mismo modo que el hecho de que la vida de Egon Schiele no se reduzca a unas cuantas aventuras –reales o supuestas– es lo que lo convierte en una auténtica personalidad artística.

"TRAS MI MUERTE, TARDE O TEMPRANO, LA GENTE ME ELOGIARÁ DE CIERTO MODO Y ADMIRARÁ MI ARTE".

Egon Schiele
en el lecho de muerte

## Las colecciones más importantes de Schiele en Austria

### La Albertina en Viena

Con alrededor de 200 dibujos y acuarelas, la Albertina de Viena alberga una colección de Schiele de valor incalculable. Fue recopilada en gran parte por Otto Benesch, el hijo del gran confidente de Schiele y promotor Heinrich Benesch, quien dirigió el museo en el periodo 1947–61. Junto a la colección gráfica, se conserva también en esta venerable institución del corazón de Viena el archivo de Egon Schiele, con unos 1400 objetos, entre los que hay documentos, cartas, cuadernos de esbozos, cuadernos de notas y diarios (ilust. 2, 12, 13, 14, 19, 20, 27, 33, 42, 48, 61, 62, 66, 67, 71, 82, 83, 87, 91, 92, 95, 98, 103, 104, 105, 106, 107, 113, 114, 123, 124, 125, 133, 135, 140, 146, 149, 151, 153).

### Leopold Museum en Viena

La mayor y más importante colección de obras de Egon Schiele pertenece al Leopold Museum de Viena. La colección privada cuenta con 41 óleos y 188 trabajos en papel, que han sido recopiladas desde la década de 1950 por Rudolf Leopold. El coleccionista e historiador del arte ha contribuido significativamente con su trabajo al redescubrimiento de Egon Schiele después de la Segunda Guerra Mundial. Hoy en día, es gestionado por una fundación, que se ubica desde 2001 en un denso complejo de galerías en el barrio de los museos de Viena (imagen de portada, ilust. 35, 40, 41, 44, 49, 50, 85, 90, 108, 109, 115, 116, 119, 120, 121, 130, 131, 132, 136, 142, 143, 144, 145, 148, 150, 154, 156, 157, 167, 173, 174, 178, 179).

### Österreichische Galerie Belvedere

Franz Martin Haberditzl, director de la institución que precedió a la actual Galería Belvedere, adquirió en 1917 los primeros dibujos de Egon Schiele y en 1918, de la Exposición de la Secesión, el *Retrato de la mujer del artista* para su hogar (ilust. 10). Estas compras figuran entre las primeras adquisiciones de trabajos de Schiele. Actualmente la Kunstgalerie, ubicada en una gran complejo vienés del castillo del mismo nombre y famosa por poseer la mayor colección de Klimt a nivel mundial, posee 16 destacadas obras del artista (ilust. 10, 11, 69, 158, 166, 175).

Ilust. 179: *Autorretrato semidesnudo*, 1911.

## OTRAS FUENTES DE LAS IMÁGENES

Archivo del estado y de la ciudad de Viena: ilust. 171, 172
Egon Schiele Museum, Tulln an der Donau: ilust. 32
Ernst Ploil, Viena: ilust. 38
E. W. K. Bern: ilust. 88, 96, 129
Fundación Pierre Gianadda, Martigny: ilust. 64
Galerie St. Etienne, Nueva York: ilust. 16, 17
Germanisches Nationalmuseum, Nürnberg: ilust. 15
Haags Gemeentemuseum vor Moderne Kunst: ilust. 163
Harewood House Trust, West Yorkshire: ilust. 65
Historisches Museum der Stadt Wien: ilust. 81, 100
Israel Museum, Jerusalem: ilust. 84
Kunsthaus Zug: ilust. 39
Lentos Kunstmuseum Linz: ilust. 76
Minneapolis Institute of Arts: ilust. 75
Národní galerie, Praga: ilust. 152
Neue Galerie Graz: ilust. 99
Neue Galerie, Nueva York: ilust. 111, 118
Niederösterreiches Landesmuseum, Sankt Pölten: ilust. 55, 58, 162
Öffentliche Kunstsammlung, Basilea: ilust. 77
Propiedad privada: ilust. 1, 3, 7, 9, 28, 29, 37, 43, 45, 56, 57, 59, 60, 68, 70, 74, 86, 89, 93, 97, 101, 112, 117, 127, 128, 134, 137, 138, 139, 160, 169
Staatliche Graphische Sammlung, Múnich: ilust. 159
Staatsgalerie Stuttgart: ilust. 47
The Art Institute of Chicago: ilust. 161

## BIBLIOGRAFÍA

Nebehay, Christian M.: *Egon Schiele 1890–1918. Leben Briefe Gedichte*. Salzburgo y Viena, 1979.
Nebehay, Christian M.: *Egon Schiele. Leben und Werk.* Salzburgo y Viena, 1980.
Nebehay, Christian M.: *Gustav Klimt. Dokumentation.* Viena, 1969.
Benesch, Heinrich: *„Mein Weg mit Egon Schiele"*. Reimpresión sin modificar en: Klaus Albrecht Schröder: Egon Schiele. Múnich, 2005 (p. 379–391).
Bauer, Hermann (ed.): *Die große Enzyklopädie der Malerei.* Tercer volumen. Friburgo, Basilea, Viena, 1976.
Kallir, Jane: Egon Schiele: *The Complete Works. Including a Biography and a Catalogue Raisonné.* Nueva York, 1990.
Kallir, Jane: *Egon Schiele.* Nueva York, 1994.
Kallir, Otto: *Egon Schiele. Das Druckgraphische Werk.* Viena, 1970.
Catálogo de la Exposición de Arte Internacional de Viena 1909. Viena, 1909.
Schröder, Klaus Albrecht; Szeeman, Harald (ed.): *Egon Schiele und seine Zeit.* Múnich, 1988.
Schröder, Klaus Albrecht: *Egon Schiele.* Múnich, 2005.
Schröder, Klaus Albrecht: *Egon Schiele. Eros und Passion.* Múnich, Nueva York, 1995.
Municipio de Tulln: *Egon-Schiele-Museum. Eine Dokumentation zu Leben und Werk von Egon Schiele (1890 Tulln – 1918 Wien).* Tulln, 1991.
Natter, Tobias G.; Hollein, Max (ed.): *Die nackte Wahrheit. Klimt, Schiele, Kokoschka und andere Skandale.* Múnich, Berlín, Londres, Nueva York, 2005.
Natter, Tobias G.; Tummer, Thomas: *Die Tafelrunde. Egon Schiele und sein Kreis.* Colonia, 2006.
Natter, Tobias G.; Storch, Ursula: *Egon Schiele & Arthur Roessler. Der Künstler und sein Förderer.* Ostfildern-Ruit y Viena, 2004.
Natter, Tobias G. (ed.): *Egon Schiele. Sämtliche Gemälde 1909–1918.* Colonia, 2017.